Inspirados por el Espíritu

Confirmación

LIBRO DEL CANDIDATO

Inspired by the Spirit

Confirmation

Esta publicación se imprimió pendiente de la autorización esclesiástica.

El Subcomité para el Catecismo de la Conferencia de Obispos Católicos de los Estados Unidos consideró que este texto catequético, copyright 2013, está en conformidad con el *Catecismo de la Iglesia Católica.*

El programa de ***Confirmación, Inspirados por el Espíritu,*** de Sadlier, fue desarrollado por la sabiduría de la comunidad de fe representada por la experiencia de expertos en liturgia, teología, Escritura, catequesis y desarrollo de la fe en los adolescentes.

Consultores en liturgia y catequesis

Susan Anderson
Directora de educación religiosa
St. Francis of Assisi Parish
Derwood, MD

Reverendo monseñor John F. Barry, PA
Párroco
American Martyrs Parish
Manhattan Beach, CA

Reverendo Michael A. Carrano
Párroco
Our Lady of Hope
Middle Village, NY

Carol Ann Craven
Directora de educación religiosa
St. Paul the Apostle Parish
New Middletown, OH

Reverendo Ronald J. Lewinski, S.T.L.
Párroco
St. Mary of the Annunciation Church
Mundelein, IL

Carole M. Eipers, D. Min.
Vicepresidenta y directora ejecutiva de catequesis
William H. Sadlier, Inc.

Elzbieta Milewska
Cordinadora de proyecto
National Initiative on Adolescent Catechesis
Washington, DC

Monseñor John Pollard
Párroco
Queen of All Saints Basilica
Chicago, IL

Consultor de teología

Reverendísimo Edward K. Braxton, Ph.D., S.T.D.
Consultor oficial de teología

Equipo consultor de Sadlier

Saundra Kennedy
Sister Rosa Monique Peña
Víctor Valenzuela

Acknowledgements

Excerpts from the English translation of *The Roman Missal*, © 2010, International Committee on English in the Liturgy, Inc. All rights reserved.

Scripture excerpts are taken from the *New American Bible with Revised New Testament and Revised Psalms* ©1991, 1986, 1970, Confraternity of Christian Doctrine, Washington, D.C. and are used by permission of the copyright owner. All Rights Reserved. No part of the *New American Bible* may be reproduced in any form without permission in writing from the copyright owner.

Excerpts from the English translation of the *Catechism of the Catholic Church* for the United States of America, ©1994 United States Catholic Conference, Inc.—Libreria Editrice Vaticana. English translation of the *Catechism of the Catholic Church: Modifications from the Editio Typica* ©1997 United States Catholic Conference, Inc.—Libreria Editrice Vaticana. Used with permission.

Excerpts from the *Rite of Confirmation* (Second Edition) ©1975, ICEL; excerpts from the English translation of *Rite of Baptism for Children* ©1969, ICEL; excerpts from the English translation of *The Liturgy of the Hours* ©1974, ICEL; excerpts from the English translation of *A Book of Prayers* ©1982, ICEL. All rights reserved.

Excerpts from *Catholic Household Blessings and Prayers (Revised Edition)* copyright © 2007, 1988 United States Catholic Conference Inc. Washington, D.C. Used with permission. All rights reserved.

Excerpt from *La Biblia católica para jóvenes,* copyright ©2005, Instituto Fe y Vida.

Excerpt from Ritual conjunto de los sacramentos, copyright ©1976, Consejo episcopal Latinoamericano.

Excerpt from *Catecismo de la Iglesia Católica,* copyright ©1997 United States Catholic Conference, Inc.—Liberia Editrice Vaticana.

Printed in the United States of America.

® is a registered trademark of William H. Sadlier, Inc.

William H. Sadlier, Inc.
9 Pine Street
New York, NY 10005-4700

ISBN 978-0-8215-5810-2
789 WEBC 18 17

Bievenido

Candidato a la Confirmación

Estás a punto de empezar una extraordinaria jornada para completar tu iniciación como miembro de la Iglesia Católica. Has crecido en muchas formas desde que recibiste por primera vez el don del Espíritu Santo cuando fuiste bautizado. En tu vida de fe has tenido grandes momentos de gozo y retos. Has formado amistades sólidas y has ofrecido tus talentos y tiempo para hacer del mundo un mejor lugar. Entregándote a Dios y viviendo en su presencia has predicado sobre el reino de Dios proclamado por Jesús.

Tu preparación para el sacramento de la Confirmación es un tiempo para crecer y madurar en tu fe, para fortalecer tu relación con el Espíritu Santo y asumir un papel de más importancia dentro de la comunidad de fe.

Parte del gozo de cualquier jornada se encuentra en los compañeros con quienes se viaja. Tu familia caminará contigo y escogerás un padrino quien jugará un papel especial en tu jornada. Caminarás con amigos y compañeros de clase que te apoyarán y te darán ideas; a cambio, tú los animarás. Los feligreses de tu parroquia rezarán por ti y, con la manera en que viven sus vidas, serán ejemplos para ti de católicos verdaderamente "confirmados".

También se te pedirá reafirmar tu nombre de bautismo o escoger uno nuevo. Este nombre representará las cualidades de una persona santa, quien crees es un ejemplo de discípulo de Jesús. Toda la comunión de los santos está contigo en esta jornada.

Planifica bien tu jornada de confirmación, presta atención a la sabiduría de tus compañeros, mira, escucha la presencia de Dios a lo largo del camino. Aprende más sobre tu fe. Reza al Espíritu Santo para que te guíe. Goza cada momento mientras te preparas para ser sellado con el Espíritu Santo. Recuerda que en la celebración del sacramento de la Confirmación se te dará la fortaleza para difundir y defender tu fe con palabra y obra.

Oración de los candidatos

Ven, Espíritu Santo.
Llena mi corazón con tu luz.
Guíame mientras me preparo para el sacramento de la Confirmación.

Ven, Espíritu Santo.
Llena mi mente con tu sabiduría.
Inspírame para escuchar tu voz en mis padrinos, los que me apoyan y los que me enseñan.

Ven, Espíritu Santo.
Llena mi alma con tu paz.
Recuérdame llevarte en oración mis esperanzas y miedos todos los días.
Que tu luz, sabiduría y paz siempre estén conmigo durante este tiempo especial.
Amén.

Contents

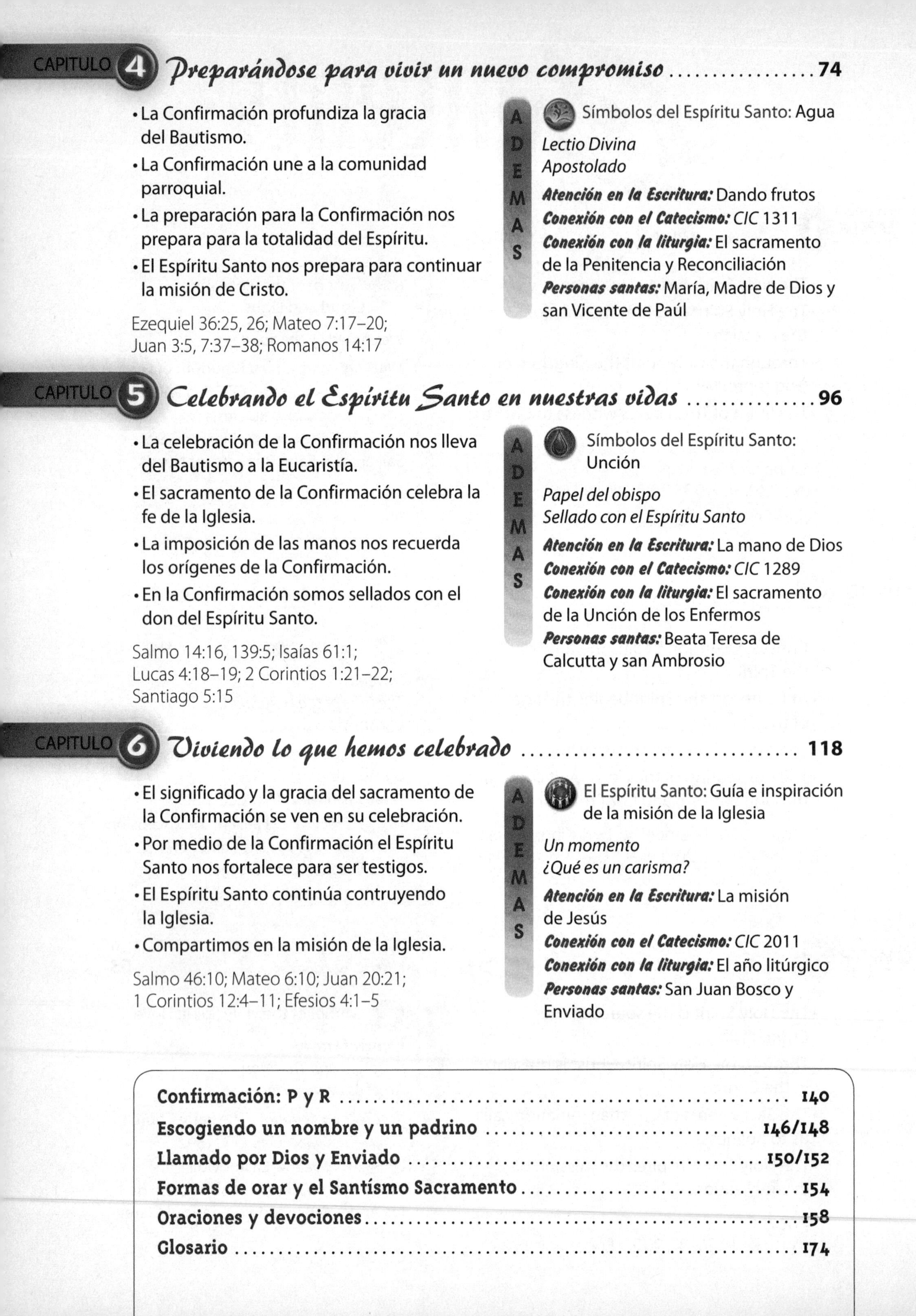

CAPITULO 1

Jesús promete el Espíritu Santo

"El reino de Dios está cerca".
Marcos 1:15

Los que se preparan para el sacramento de la Confirmación son llamados *candidatos* o *confirmandos*. Los candidatos se preparan para la Confirmación de muchas formas. Por ejemplo: los candidatos aprenden sobre el don del Espíritu Santo, sobre compartir más plenamente en la misión de la Iglesia y cómo dar testimonio de la buena nueva de Jesucristo.

Tú estás considerado como un candidato.
✓ las acciones en las que te quieres centrar durante tu preparación para la Confirmación.

- ☐ rezar diariamente
- ☐ aprender sobre mi fe
- ☐ compartir la fe con mi padrino o madrina y familia
- ☐ utilizar mi tiempo y talentos para servir a Dios y a los demás
- ☐ (otra) ______________________

Jesus' Promise of the Holy Spirit

"The Kingdom of God is at hand."

Mark 1:15

Those who are preparing for the Sacrament of Confirmation are called *candidates* or *confirmandi*. Candidates prepare for Confirmation in many ways. For example: Candidates learn about the Gift of the Holy Spirit, learn to share more completely in the mission of the Church, and learn to give witness to the Good News of Jesus Christ.

You are now considered a candidate.

✓ the actions that you want to focus on in your preparation for Confirmation.

- ☐ praying each day
- ☐ learning about my faith
- ☐ sharing faith with my sponsor and family
- ☐ utilizing my time and talents to serve God and others
- ☐ (other) ____________________

Interpretación de Sophie Hacker del icono de la Trinidad de Rublev, 1995, óleo en cavas, colección privada.

El Espíritu Santo ha estado siempre trabajando.

La presencia y guía del Espíritu Santo es siempre una de las formas en que Dios ha expresado su amor a la humanidad. Pero, ¿quién es el Espíritu Santo? El **Espíritu Santo** es Dios la tercera Persona de la **Santísima Trinidad**, quien "Coopera con el Padre y el Hijo desde el comienzo del Designio de nuestra salvación". (*CIC*, 686)

Generalmente pensamos que la creación es el trabajo de Dios Padre, pero Padre, Hijo y Espíritu Santo son el principio de la creación. En el Génesis leemos: "El espíritu de Dios aleteaba sobre las aguas" (Génesis 1:2). El Espíritu Santo se movía como viento, aliento y espíritu de creación. Fue el Espíritu Santo quien, durante el éxodo, dirigió a los israelitas por el desierto como una columna de nube y fuego. También fue el Espíritu Santo quien habló por medio de los profetas para decir al pueblo que mantuviera su fe en Dios y que se preparara para el **Mesías**, el que Dios, por amor a nosotros, enviaría para salvarlos de sus pecados.

Con la venida de Jesucristo se cumplió la promesa del Mesías. La costumbre judía de ungir a reyes y sacerdotes era señal de que Dios los había designado para un papel especial, así también, el Mesías sería el ungido. Pero él sería ungido con el Espíritu Santo. Como dijo el profeta Isaías sobre el Mesías:

> "Sobre él reposará el espíritu del Señor".
> (Isaías 11:2)

En Jesucristo la presencia y el poder del Espíritu Santo se hizo evidente.

The Holy Spirit has always been at work.

The presence and guidance of the Holy Spirit throughout time is one of the ways that God has always expressed his love for humanity. But who is the Holy Spirit? The **Holy Spirit** is God, the Third Person of the **Blessed Trinity**, who "is at work with the Father and the Son from the beginning to the completion of the plan for our salvation" (*CCC*, 686).

Though we often think of creation as the work of God the Father, the Father, Son, and Holy Spirit are the one principle of Creation. In Genesis we read, "a mighty wind swept over the waters" (Genesis 1:2), the Holy Spirit was moving as the very wind, breath, and spirit of creation. And it was the Holy Spirit who, during the Exodus, led the Israelites through the desert in a column of cloud and fire. Then too, it was the Holy Spirit who spoke through the prophets telling the people to remain faithful to God and to prepare for the **Messiah**—the one whom God, out of His love for us, would send to save the people from their sins.

In the coming of Jesus Christ the promise of the Messiah was fulfilled. And just as it was a Hebrew custom to anoint kings and priests with oil as a sign that God had appointed them to their special roles, so, too, the Messiah would be the Anointed One! But he would be anointed with the Holy Spirit. As the prophet Isaiah said of the Messiah:

> "The spirit of the Lord shall rest upon him" (Isaiah 11:2).

So in Jesus Christ, the presence and the power of the Holy Spirit truly became evident.

Alek Rapoport, Trinity in Dark Tones, Genesis 18, 1994 (tempera on cotton)

Conexión con el Catecismo

En el *Catecismo de la Iglesia Católica* leemos: "Creer en el Espíritu Santo es, por tanto, profesar que el Espíritu Santo es una de las personas de la Santísima Trinidad". (*CIC*, 685)

La creencia en la Santísima Trinidad—las tres personas en un solo Dios: Dios el Padre, Dios el Hijo y Dios el Espíritu Santo—es el centro de la fe católica. Has sido bautizado "en el nombre del Padre, y del Hijo, y del Espíritu Santo" (Rito del Bautismo). Durante la celebración de la Confirmación te pondrás de pie para renovar tus promesas de bautismo. Responderás a cada una de las preguntas sobre tu fe en la Santísima Trinidad y en la Iglesia con las palabras *sí creo*.

Personas santas

Beata Sára Salkaházi

Sára Salkaházi fue una persona que, igual que los profetas, fue guiada por el Espíritu Santo. Nació en 1899 en Kassa-Kosice, ahora parte de Eslovaquia. Tenía mucha energía y era una niña amorosa. De joven ofreció su energía y talentos a escribir, enseñar y organizar grupos de apostolado en su país. A los 30 años entró a la comunidad religiosa Hermanas de Servicio. Cuando tomó sus votos finales tomó una cita del profeta Isaías como lema: "Aquí estoy yo, envíame". (Isaías 6:8)

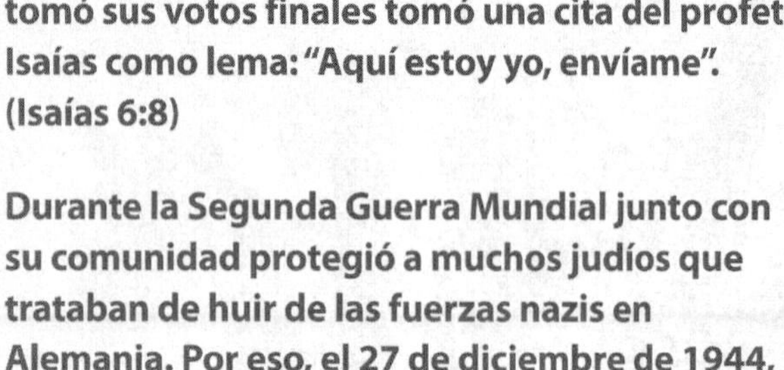

Durante la Segunda Guerra Mundial junto con su comunidad protegió a muchos judíos que trataban de huir de las fuerzas nazis en Alemania. Por eso, el 27 de diciembre de 1944, Sára fue ejecutada. Visita *Vidas de santos* en: **www.inspiradosporelespiritu.com.** para ver más información sobre esta fiel mujer.

Llamado a los Candidatos

Mientras te preparas para la Confirmación piensa que eres un "discípulo en entrenamiento". Hay muchos "ejercicios" que te gustaría añadir a tu rutina espiritual.

Aspiración es una oración corta para memorizar y repetir durante el día. La palabra *aspiración* viene de una palabra en latín que significa "respirar". Aspiraciones, tales como: "Espíritu Santo quédate conmigo hoy", duran una o dos respiraciones.

Escribe una o más aspiraciones que puedes añadir a tu rutina diaria de oración. Sigue en "entrenamiento" rezando esas palabras.

Aspira . . . .

Reza ______________________________

____

Exhala . . . .

Calling All Candidates

As you prepare for Confirmation, think of yourself as a "disciple in training." There are many "exercises" that you may want to add to your spiritual "workout."

An aspiration is a short prayer meant to be memorized and repeated throughout the day. The word *aspiration* comes from the Latin word meaning "to breathe." Aspirations, such as "Holy Spirit, be with me today," last for one or two deep breaths.

Write one or more aspirations that you can add to your daily prayer routine. Stay "in training" by praying these words.

Breathe in . . .

Pray: ______________________________

____

Breathe out . . .

Catechism Connection

The *Catechism of the Catholic Church* states, "To believe in the Holy Spirit is to profess that the Holy Spirit is one of the persons of the Holy Trinity" (*CCC*, 685).

The belief in the Blessed Trinity—the Three Persons in One God: God the Father, God the Son, and God the Holy Spirit—is the center of the Catholic faith. You have been baptized, "In the name of the Father, and of the Son, and of the Holy Spirit" (Rite of Baptism). During the celebration of Confirmation, you will stand and renew your baptismal promises. You will answer each of the questions about your belief in the Blessed Trinity and the Church with the words *I do*.

Saints and Holy People

Blessed Sára Salkaházi

One person who, like the prophets, was guided by the Holy Spirit is Blessed Sára Salkaházi. Sára was born in 1899 in Kassa-Kosice, now part of Slovakia. She was a very energetic, fun-loving child. As a young woman she offered her energy and talents to writing, teaching, and organizing Catholic charity groups in her country. When Sára was 30, she entered the religious community, the Sisters of Service. At her final vows, she took as a personal motto a quote from the prophet Isaiah: "Here I am . . . send me" (Isaiah 6:8).

During World War II Sára and her community protected many Jewish people fleeing from Nazi forces. On December 27, 1944, Sára was executed for doing this work. Visit *Lives of the Saints* featured on **www.inspiredbythespirit.com** to find out more about this faith-filled woman.

Confirmation Q & A

Who is the Holy Spirit?

El Espíritu Santo prepara el camino del Mesías.

Jesús fue hijo de María, una joven hebrea. Desde su concepción María había sido "hecha una nueva criatura" (*CIC*, 493). Ella respondió al plan de Dios obediente en la fe y vivió su vida en respuesta al Espíritu. Por su sí incondicional a Dios, el Espíritu Santo descendió sobre ella y "el poder del Altísimo" (Lucas 1:35) la cubrió y concibió a Jesús, el Hijo de Dios. En el misterio de la encarnación, Jesús, el Hijo de Dios, se hizo hombre. En la unidad de su divina Persona Jesucristo es verdadero Dios y verdadero hombre.

El Espíritu Santo estuvo siempre presente en la vida de Jesucristo. Sabemos muy poco de la niñez de Jesús, pero por la Escritura sabemos que Jesús: "crecía y se fortalecía llenándose de sabiduría, y contaba con la gracia de Dios" (Lucas 2:40). Aproximadamente a la edad de treinta años, Jesús dejó su pueblo, Nazaret, y viajo al Jordán para ser bautizado por Juan.

Fue durante este bautismo que el Espíritu Santo descendió sobre Jesús "en forma visible, como una paloma, y se oyó una voz que venía del cielo: 'Tú eres mi Hijo amado, en ti me complazco'" (Lucas 3:22). Por el poder del Espíritu Santo, Dios reveló que Jesucristo es su Hijo amado. El bautismo de Jesús anuncia nuestro propio **bautismo**, donde en nombre del Padre, y del Hijo, y del Espíritu Santo, cada uno de nosotros inicia una nueva vida como hijo de Dios.

Después del bautismo, el Espíritu Santo dirigió a Jesús hacia el desierto donde rezó y ayunó durante cuarenta días. Ahí el diablo tentó a Jesús para que se rebelara contra el plan de salvación de Dios. Jesús, ungido por el Espíritu Santo en su bautismo y fortalecido por el mismo espíritu durante esta tentación, rechazó el pecado y al diablo. Confiando en Dios el Padre y fortalecido por el Espíritu Santo, el pudo seguir libremente el plan de Dios para nuestra salvación. Así Jesús empezó su ministerio.

The Holy Spirit prepares the way for the Messiah.

Jesus Christ was born to Mary, a young Hebrew woman. From the moment of her own conception Mary had been "fashioned by the Holy Spirit and formed as a new creature" (*CCC*, 493). She responded to God's plan with the obedience of faith and lived her life in response to the Spirit. Through her unconditional "yes" to God, the Holy Spirit came upon her and "the power of the Most High" (Luke 1:35) overshadowed her and she conceived Jesus, the Son of God. In the mystery of the Incarnation, Jesus, the Son of God became man. In the unity of his divine Person, Jesus Christ is true God and true man.

The Holy Spirit was continually present in the life of Jesus Christ. And though we know very little about Jesus' early life, we do know through Scripture that Jesus "grew and became strong, filled with wisdom; and the favor of God was upon him" (Luke 2:40). Then at about thirty years of age, Jesus left his hometown of Nazareth and traveled to the Jordan to be baptized by John.

It was at this baptism that the Holy Spirit descended upon Jesus "in bodily form like a dove. And a voice came from heaven, 'You are my beloved Son; with you I am well pleased'" (Luke 3:22). By the power of the Holy Spirit, God the Father revealed that Jesus Christ was his beloved Son. The baptism of Jesus foreshadows our own **Baptism**, where in the name of the Father, and of the Son, and of the Holy Spirit, each of us begins new life as a child of God.

After Jesus' baptism the Holy Spirit led Jesus into the desert where he prayed and fasted for forty days. And there, the devil tempted Jesus to rebel against God's plan for salvation. But Jesus, anointed by the Spirit at his baptism and now strengthened by that same Spirit during this temptation, refused to give in to sin and evil. Trusting in God the Father and empowered by the Holy Spirit, he would follow freely God's plan for our salvation. And so Jesus began his ministry.

Conexión con el Catecismo

En el *Catecismo de la Iglesia Católica* leemos: "La preparación para la Confirmación debe tener como meta conducir al cristiano a una unión más íntima con Cristo, a una familiaridad más viva con el Espíritu Santo, su acción, sus dones y sus llamadas, a fin de poder asumir mejor las responsabilidades apostólicas de la vida cristiana. (*CIC*, 1309)

Durante este período de preparación para el sacramento de la Confirmación, aprenderás más sobre ti mismo, tu relación con Jesús y tu responsabilidad como su discípulo para creer y esperar en Dios y amarlo y amar a los demás como lo hizo Jesucristo.

¿Qué responsabilidades tienes como discípulo de Jesús, cómo miembro de la Iglesia? ¿Cómo estás cumpliendo esas responsabilidades?

Llamado a los Candidatos

Como candidato a la Confirmación puedes participar en tu comunidad parroquial mientras esta apoya a padres y padrinos que están preparando a sus niños para el Bautismo.

Trabaja solo o con otro candidato a la Confirmación para llevar a cabo lo siguiente:

- **Visita el sitio Web de la parroquia para ver en el boletín los próximos bautismos. Escoge un bautismo para asistir. Si es posible escribe una nota al niño y exprésale tus buenos deseos mientras crece en la fe.**

Acogidos por el Espíritu

Para celebrar el sacramento de la Confirmación, los candidatos deben haber celebrado el sacramento del Bautismo. El Bautismo es: ". . . la puerta que abre el acceso a los otros sacramentos" (*CIC*, 1213). En el Bautismo se nos borra el **pecado original** y cualquier pecado personal. Nos hacemos hijos de Dios y miembros de la Iglesia. Recibimos la gracia para vivir como Dios quiere que vivamos compartiendo la bondad de Dios y respondiendo a su amor. Se nos da la esperanza a la vida eterna. En el Bautismo recibimos el don del Espíritu Santo por primera vez, haciéndonos templos del Espíritu Santo.

Confirmación PyR

¿Cómo mostró el Espíritu Santo su presencia en la vida de Jesús?

Welcomed by the Spirit

In order to receive the Sacrament of Confirmation, candidates must have already received the Sacrament of Baptism. Baptism is the ". . . gateway to life in the Spirit, and the door which gives access to the other sacraments" (*CCC*, 1213). In Baptism, we are cleansed of **Original Sin** and any personal sin. We become children of God and members of the Church. We receive the grace to live as God wants us to by sharing in God's goodness and responding to his love. We are given the hope of eternal life. And in Baptism, we first receive the Gift of the Holy Spirit, becoming temples of the Holy Spirit.

Catechism Connection

The *Catechism of the Catholic Church* states, "*Preparation* for Confirmation should aim at leading the Christian toward a more intimate union with Christ and a more lively familiarity with the Holy Spirit . . . in order to be more capable of assuming the apostolic responsibilities of Christian life" (*CCC*, 1309).

During this period of preparation for the Sacrament of Confirmation, you will be learning more about yourself, your relationship with Jesus, and your responsibility as his disciple to believe and hope in God and to love God and others as Jesus Christ did.

What responsibilities do you now have as a disciple of Christ? as a member of the Church? How are you fulfilling these responsibilities?

Calling All Candidates

As a candidate for Confirmation, you can participate with your parish community as it supports parents and godparents who are preparing for a child's baptism.

Working by yourself or with another Confirmation candidate, carry out the following:

- **Go to the parish Web site or check the parish bulletin to find out about upcoming baptisms. Choose a baptism to attend. If possible, write a note to the child and express your hopes for the child as he or she grows in faith.**

Confirmation Q & A

In what way did the Holy Spirit show his presence throughout the life of Jesus?

El reino de Dios es proclamado por medio del Espíritu Santo.

Jesús fue a la región de Galilea y empezó a predicar: "El reino de Dios está llegando. Conviértanse y crean en el evangelio" (Marcos 1:15). La llegada del reino de Dios fue un tema constante en la prédica de Jesús. El entendió y usó el término *reino de Dios* en el contexto de su fe y herencia judías. Pero lo amplió para que el pueblo lo entendiera. El ayudó al pueblo a entender que Dios había prometido la salvación para todos, no sólo salvando y restaurando el reino terrenal de Israel.

Jesús reveló el **reino de Dios**, el poder del amor de Dios activo en el mundo y en nuestras vidas. El enseñó, sanó e hizo milagros en el pueblo. Todas sus palabras y acciones fueron hechas con la fortaleza y la guía del Espíritu Santo, quien se puede ver en cada aspecto del plan de salvación de Dios.

Desde el inicio de su ministerio, Jesús reunió una comunidad de **discípulos**. Esos discípulos fueron hombres y mujeres que viajaban con Jesús, fueron testigos de sus sanaciones y milagros y escucharon sus enseñanzas. Doce de los discípulos de Jesús, compartieron su misión de forma especial. Esos hombres fueron los **apóstoles** de Jesús. La palabra *apóstol* significa "alguien que es enviado". Jesús envió a los apóstoles y discípulos a dar testimonio de su mensaje del amor de Dios. Jesús llamó a sus apóstoles y discípulos a predicar el reino de Dios a todo el mundo. Y su reino es un:

> "Reino de la verdad y de la vida,
> Reino de la santidad y de la gracia,
> Reino de la justicia, del amor y de la paz".
> (Prefacio de la fiesta de Cristo Rey)

Por el poder del Espíritu Santo, el Padre reunió a todos los hombres y mujeres alrededor de su Hijo, y así con la venida de Jesús empezó el reino de Dios. Como leemos en el *Catecismo de la Iglesia Católica* "Esta reunión es la Iglesia, que es sobre la tierra el germen y el comienzo de este Reino". (*CIC*, 541)

Como discípulos de Jesús y miembros de la Iglesia, debemos tomar parte activa en la propagación del reino de Dios en el mundo. ¿Cómo hacer eso?

Ahora escribe tres formas en que puedes dar testimonio del reino de Dios hoy:

En el hogar:

____

En la escuela:

____

En la comunidad:

____

Como parte de la preparación para la Confirmación, los candidatos son llamados a hacer obras de apostolado en su comunidad. Recuerda que san Benedicto de Nursia pensó que la hospitalidad era una herramienta para vivir una vida de servicio a otros.

Mientras piensas en el servicio que harás como parte de tu preparación para la Confirmación, ¿cómo puedes incluir practicar la hospitalidad? Escríbelo aquí.

Through the Holy Spirit the Kingdom of God is proclaimed.

Jesus went into the region of Galilee and began to preach, "This is the time of fulfillment. The kingdom of God is at hand. Repent, and believe in the gospel" (Mark 1:15). The coming of God's Kingdom was a constant theme of Jesus' preaching. He understood and used the term *Kingdom of God* in the context of his Jewish faith and heritage yet he broadened people's understanding of this term. He helped them to understand that God was promising salvation for all people, not just saving and restoring the earthly kingdom of Israel.

Jesus revealed the **Kingdom of God**—the power of God's love active in our lives and in our world. He taught, healed, and worked miracles among the people. And all of his words and actions were carried out with the strength and guidance of the Holy Spirit, who can be seen in every aspect of God's plan of salvation.

From the beginning of his ministry, Jesus gathered a community of **disciples**. These disciples were men and women who traveled with Jesus, witnessed his healings and miracles, and heard his preaching. Twelve of Jesus' disciples shared his mission in a special way. These men were Jesus' **Apostles**. The word *apostle* means "one who is sent." Jesus sent the Apostles out to witness to his message of God's love. Jesus called his Apostles and his disciples to spread the Kingdom of God throughout the world. And this Kingdom is to be

> "a kingdom of truth and life
> a kingdom of holiness and grace
> a kingdom of justice, love, and peace"
> (Preface from The Feast of Christ the King).

Through the power of the Holy Spirit, the Father gathered all men and women around his Son—and thus in Jesus' coming the Kingdom of God had begun! As we read in the *Catechism of the Catholic Church* "this gathering is the Church, 'on earth the seed and beginning of that kingdom'" (*CCC*, 541).

As Jesus' disciples and members of the Church, we need to take an active part in spreading the Kingdom of God throughout the world. How can you make this happen?

Now, write three ways you can witness to the Kingdom of God today:

At home:

___

At school:

___

In your community:

___

As part of preparation for Confirmation, candidates are called to carry out works of service to others in their community. Recall that Saint Benedict of Nursia thought hospitality was an important tool in living life in service to others.

As you consider the service you will do as part of preparation for Confirmation, how might you include the practice of hospitality? Write about it here.

Atención en la Escritura

El reino de Dios

El reino de Dios no es un lugar físico; es el poder del amor de Dios activo en nuestras vidas y el mundo. Jesús dijo a sus discípulos: "El reino de Dios ya está entre ustedes" (Lucas 17:21). También usó parábolas para enseñar sobre el reino de Dios. Por ejemplo la parábola del sembrador puede encontrarse en los Evangelios de Mateo (13:1–13), Macro (4:1-20) y Lucas (8:4–15). La parábola de la semilla de mostaza se encuentra en Mateo 13:31–32, Marcos 4:30–32 y Lucas 13:18–19. Toma tiempo para leer las parábolas de Jesús en los evangelios. Descubre lo que dicen sobre el reino de Dios. Comparte lo que aprendas.

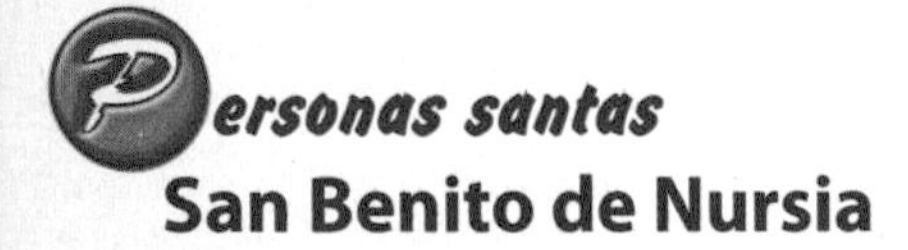

Personas santas

San Benito de Nursia

Benito nació alrededor del año 480 en la provincia italiana de Nursia. Fundó varios monasterios. Como una forma de guiar a los mon jes, Benito escribió como ellos podían centrar sus vidas en Cristo. Conocidas como "Reglas de san Benito", este pequeño libro continúa siendo usado por cristianos modernos como una herramienta para vivir una vida de amor y servicio a Dios y a otros. Uno de los valores más importantes enseñados por Benito en sus reglas es la idea de hospitalidad. La idea de hospitalidad de Benito nos recuerda que servir a Dios y a otros debe hacerse con respeto, paciencia y corazón receptivo. Visita *Vidas de santos* en: **www.inspiradosporelespiritu.com** para aprender mas sobre san Benito de Nursia.

Confirmación PyR

¿Qué es el reino de Dios?

Spotlight on Scripture

The Kingdom of God

The Kingdom of God is not a physical place; it is the power of God's love active in our lives and in the world. Jesus told his disciples, "Behold the kingdom of God is among you" (Luke 17:21). He also used parables to help teach about the Kingdom. For example the parable of the sower can be found in the Gospels of Matthew (13:1–23), Mark (4:1–20), and Luke (8:4–15). The parable of the mustard seed is found in Matthew 13:31–32, Mark 4:30–32, and Luke 13:18–19. Take time to read Jesus' parables, which are found in these Gospels. Find out what they tell us about the Kingdom of God. Share your findings.

Saints and Holy People

Saint Benedict of Nursia

Benedict was born around the year 480 in the Italian province of Nursia. He founded several monasteries throughout his life. As a way to provide guidance to the monks, Benedict wrote about ways they could center their lives on Christ. Known as "Benedict's Rule", this small book continues to be used by modern-day Christians as a tool for living a life of love and service to God and others. One of the most important values taught in his Rule is hospitality. Benedict's idea of hospitality reminds us that service to God and others is carried out with respect, patience, and an open heart. Visit *Lives of the Saints* featured on www.inspiredbythespirit.com to learn more about Saint Benedict of Nursia.

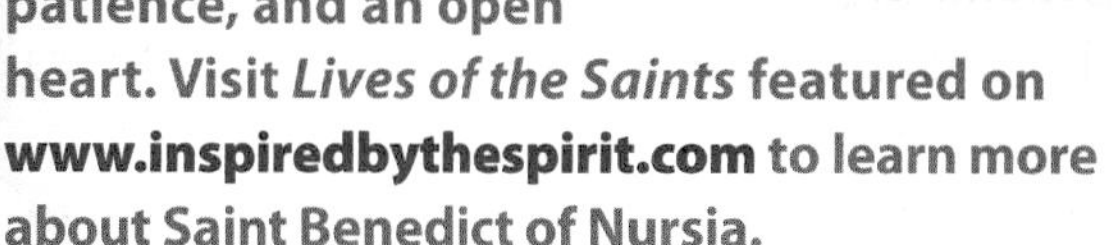

Statue of Christ the Redeemer on Corcovado Mountain, Rio de Janeiro, Brazil

Confirmation Q & A

What is the Kingdom of God?

Rafael (c. 1483–1520) *La Transfiguración*

El Espíritu de verdad da testimonio de Cristo.

Jesús sabía que sus apóstoles no entenderían lo que se pedía de él como Mesías. Lo que decidiría en los días de su **pasión** tambalearía sus esperanzas. Jesús subió a la montaña con tres de sus apóstoles, Pedro, Santiago y Juan. Ahí les ofreció una pequeña idea de su divinidad. De repente estaban en la presencia de Moisés y Elías. Por un momento el rostro de Jesús: "Brillaba como el sol y sus vestidos se volvieron blancos como la luz ...una nube luminosa los cubrió, y una voz desde la nube decía: 'Este es mi Hijo amado, en quien me complazco, escúchenlo'". (Mateo 17:2, 5)

En esta **transfiguración** la Santísima Trinidad es revelada de nuevo: "El Padre en la voz, el Hijo en el hombre, el Espíritu en la nube luminosa" (*CIC*, 555). Como el Padre habló al Hijo en la presencia del Espíritu Santo, los seguidores de Jesús tuvieron una prueba del cumplimiento del reino de Dios.

Cuando los eventos finales en la vida de Jesús estaban a punto de pasar, él reunió a sus discípulos para la **última cena**, la última comida que harían juntos. El les pidió estar unidos a él—en unión con él—como las ramas están unidas a la vid. El se dio a sí mismo a ellos en el pan y el vino que compartieron. El les prometió: "Cuando venga el Consolador, el Espíritu de la verdad que yo les enviaré y que procede del Padre, él dará testimonio de mí" (Juan 15:26). Jesús promete el Espíritu Santo a todos sus discípulos sabiendo que el Espíritu: "nos lo enseñará todo y nos recordará todo lo que Cristo nos ha dicho y dará testimonio de El". (*CIC*, 729)

Lee sobre la transfiguración de Jesús (Mateo 17:1–13). Si pudieras entrevistar a Santiago, Juan y Pedro sobre lo que tuvo lugar en la montaña durante la transfiguración, ¿qué les preguntarías?

Escribe lo que te gustaría preguntarles. Intercambia tus preguntas con otro candidato de tu grupo para que la contesten. Compartan las respuestas.

1. ______________________________

2. ______________________________

3. ______________________________

The Spirit of Truth bears witness to Christ.

Jesus knew that his Apostles would not understand what would soon be required of him as Messiah. The choices that he would make during the coming days of his **Passion** would shatter their hopes. So Jesus traveled to a high mountain with three of his Apostles—Peter, James, and John. And there he gave them a glimpse of his divinity. They were suddenly present with Moses and Elijah. And in a brief moment Jesus' "face shone like the sun and his clothes became white as light... a bright cloud cast a shadow over them, then from the cloud came a voice that said, 'This is my beloved Son, with whom I am well pleased; listen to him'" (Matthew 17:2, 5).

In this **Transfiguration** the Blessed Trinity was again revealed—"the Father in the voice; the Son in the man; the Spirit in the shining cloud" (*CCC*, 555). And as the Father spoke to the Son in the presence of the Holy Spirit, Jesus' followers were given a taste of the fulfillment of the Kingdom of God!

As the final events in Jesus' life were about to unfold he gathered his disciples together for the **Last Supper**, their last meal with him. He called them to be joined to him—in union with him—as branches are joined to a vine. He gave himself to them in the bread and wine they shared. And he promised them, "When the Advocate comes whom I will send you from the Father, the Spirit of truth that proceeds from the Father, he will testify to me" (John 15:26). So Jesus promises the Holy Spirit to all of his disciples, knowing that "the Spirit will teach us everything, remind us of all that Christ said to us and bear witness to him" (*CCC*, 729).

Read about the Transfiguration of Jesus (see Matthew 17:1–13). What if you could interview James, John and Peter about what took place on the mountain during the Transfiguration of Jesus?

Write three questions that you would like to ask them. Exchange your questions with other candidates in your group for them to answer. Share responses.

1. ______________________________

2. ______________________________

3. ______________________________

Teófanes el Griego (c. 1330–1410) *Transfiguration*

Conexión con la liturgia

Cada sacramento incluye una *epiclesis*, una oración de petición a Dios para que envíe el Espíritu Santo. Pon atención y escucha la *epiclesis* en la misa esta semana. Se rezará antes de que el sacerdote rece las palabras de la consagración.

Símbolos del Espíritu Santo: Nube y Luz

Mira la ilustración de las páginas 8–9. Parece extraño ver nubes y luz en la misma imagen. ¿Sabías que esta imagen representa la presencia del Espíritu Santo? El Espíritu Santo se manifestó como una nube luminosa durante varios eventos especiales en la Escritura. Una vez fue en la montaña durante la transfiguración de Jesús, cuando una nube apareció sobre Jesús, Pedro, Santiago y Juan: "De la nube salió una voz que decía: 'Este es mi Hijo elegido; escúchenlo'" (Lucas 9–35). La última aparición sucedió durante la ascensión de Jesús. Después que hablo con sus apósteles: "Una nube lo ocultó de su vista" (Hechos de los apóstoles 1–9). Como puedes ver en estos ejemplos, una nube no siempre significa que una tormenta se aproxima, sino que puede recordarnos la protectora y amorosa compañía del Espíritu Santo.

Confirmación PyR

¿Cómo se reveló la Santísima Trinidad?

Every sacrament includes an *epiclesis*, a prayer of petition that asks God to send the Holy Spirit. Listen for the *epiclesis* at Mass this week. It will be prayed before the priest prays the words of Consecration.

Symbols of the Holy Spirit: Cloud and Light

Take a look at the image on pages 8–9. It seems odd to see both clouds and light in the same image. But, did you know that this image represents the presence of the Holy Spirit? The Holy Spirit manifested himself as a luminous cloud during a few special moments in Scripture. One time was on the mountain during the Transfiguration of Jesus, when a cloud appeared to Jesus, Peter, James, and John. After Peter said he did not believe that Jesus would rise three days after his Death, "from the cloud came a voice that said 'This is my chosen Son; listen to him'" (Luke 9:35). The final appearance happened during Jesus' Ascension. After Jesus spoke to his Apostles, "he was lifted up, and a cloud took him from their sight" (Acts of the Apostles 1:9). As you can see from these examples, a cloud does not always signify a coming storm, but it can remind us of the protective and loving company of the Holy Spirit.

How was the Blessed Trinity revealed?

Oración

Todos: En el nombre del Padre, y del Hijo,
y del Espíritu Santo. Amén

Líder: Espíritu Santo, vienes como nube y como luz,
ofreciéndonos protección e iluminación.
Protégenos mientras caminamos nuestra jornada de fe.
Ilumina nuestro camino y llénanos de tu gracia.

Todos: Ven, Espíritu Santo.

Lector: Lectura de libro del profeta Isaías.
"Levántate y resplandece, Jerusalén, que llega tu luz;
la gloria del Señor amanece sobre ti.
Es verdad que la tierra está cubierta de tinieblas
y los pueblos de oscuridad,
pero sobre ti amanece el Señor
y se manifiesta su gloria". (Isaías 60:1–2)

Palabra de Dios.

Todos: Te alabamos, Señor.
(Pausa para reflexión)

Líder: Escuchen . . . Sean inspirados por el Espíritu.
Señor, envía tu Espíritu y renueva la faz de la tierra.

Candidato 1: Dios Padre, abre nuestros corazones mientras nos preparamos para recibir el don del Espíritu Santo en el sacramento de la Confirmación. Te lo pedimos.

Todos: Ven, Espíritu Santo.

Candidato 2: Jesús, Hijo de Dios, fortalécenos mientras buscamos seguir tu ejemplo de santidad, justicia y compasión. Te lo pedimos.

Todos: Ven, Espíritu Santo.

Candidato 3: Espíritu de verdad y luz, envuélvenos con sabiduría mientras profundizamos en nuestro compromiso de ser discípulos. Te lo pedimos.

Todos: Ven, Espíritu Santo.
Enséñanos, guíanos e inspíranos a dar testimonio de nuestra fe.
Amén.

Let Us Pray

All: In the name of the Father, and of the Son,
and of the Holy Spirit. Amen.

Leader: Holy Spirit, you come as both cloud and light,
providing both protection and illumination.
Watch over us as we make our way along the path of faith.
Light our way and fill us with your grace.

All: Come, Holy Spirit.

Reader: A reading from the Book of the Prophet Isaiah
"Rise up in splendor! Your light has come,
the glory of the Lord shines upon you.
See, darkness covers the earth,
and thick clouds cover the peoples;
But upon you the LORD shines,
and over you appears his glory." (Isaiah 60:1–2)

The word of the Lord.

All: Thanks be to God.
(Pause for Reflection)

Leader: Listen . . . Be inspired by the Spirit:
Lord, send out your Spirit and renew the face of the earth.

Candidate 1: God our Father, open our hearts as we prepare to
receive the Gift of the Holy Spirit in the
Sacrament of Confirmation. We pray . . .

All: Come, Holy Spirit.

Candidate 2: Jesus, Son of God, strengthen us as we seek to
follow your example of holiness,
justice, and compassion. We pray . . .

All: Come, Holy Spirit.

Candidate 3: Spirit of Truth and Light, enfold us with wisdom
as we deepen our commitment to the way of discipleship.
We pray . . .

All: Come, Holy Spirit.
Teach us, guide us, and inspire us each day to bear witness to
our faith.
Amen.

Enviado

FAMILIA

Conversa con tu familia sobre la persona que vas a escoger para ser tu padrino o madrina de confirmación.

Nombre:

____

Relación:

____

____

Pide a un miembro de tu familia escribir una razón por la que esa persona puede ser tu padrino o madrina.

____

____

COMUNIDAD

Sirviendo contribuimos, conectamos y celebramos. Las obras de apostolado son parte de la preparación para recibir el sacramento de la Confirmación. Esto es parte de tu responsabilidad como discípulo de Jesús. Al servir a otros muestras tu compromiso de seguir a Cristo imitando su preocupación por los demás. Servir también te prepara para tener compasión y preocuparte de una parte esencial del discipulado cristiano. Al hacer obras de apostolado, como candidato a la Confirmación también tomas responsabilidades diferentes que te ayudan a aprender más sobre los dones particulares que tienes para compartir con otros.

¿Cuál es uno de tus dones? ¿Cómo puedes usarlo sirviendo a otros?

____

____

PADRINOS

Durante tu preparación para el sacramento de la Confirmación, la persona que escogiste para ser tu padrino o madrina puede ser una gran fuente de guía espiritual. (Ver más sobre escoger un padrino o madrina en la página 148). Ya sea personal u otra forma de comunicación, es importante que te reúnas con tu padrino o madrina de forma regular para conversar sobre tu preparación para la Confirmación. Puedes empezar esta semana.

Pregunta a tu padrino o madrina lo que recuerda de su celebración del sacramento de la Confirmación. Escribe la respuesta aquí.

____

____

¿Qué me puede ayudar a recordar que el Espíritu Santo está siempre conmigo?

Go Forth

FAMILY

Talk with your family about the person whom you are choosing as your sponsor for Confirmation.

Name:

___

Relationship to you:

___

___

Have each family member write a reason why this person would be a good sponsor:

___

___

COMMUNITY

Through service we contribute, connect, and celebrate. So works of service are part of the preparation for receiving the Sacrament of Confirmation. It is part of your response to Jesus' call to discipleship. Through service to others, you show your commitment to following Christ by imitating his concern for others. Service also prepares you for a lifetime of compassion and caring that is an essential part of Christian discipleship. By performing works of service, you as a Confirmation candidate also take on different responsibilities that help you learn more about the particular gifts that you have to share with others.

What is one of your gifts? How can you use this gift in service to others?

___

___

SPONSOR

During your preparation for the Sacrament of Confirmation, the person whom you choose to be your sponsor can be a great source of spiritual guidance. (See more about choosing a sponsor on page 149.) Whether in-person or through another way of communicating, it is important to meet with your sponsor regularly and discuss your preparation for Confirmation. You can start as soon as this week.

Ask your sponsor what he or she remembers about receiving the Sacrament of Confirmation. Write your sponsor's answers.

___

___

What can help me remember that the Holy Spirit is always with me?

Candidato, tu tiempo de preparación para la Confirmación es tiempo de conversión, volver tu mente y corazón a Dios. El Espíritu Santo te guiará mientras:

- Te centras en tus actitudes positivas o tus decisiones desinteresadas: compartiendo tus dones y talentos, ayudando en la casa y en la comunidad, ponniendo esfuerzo en tu trabajo escolar, dedicando más tiempo a la oración, asistiendo a misa los domingos.
- Rechazas tus actitudes negativas o decisiones interesadas: diciendo cosas desagradables, siendo irrespetuoso con los demás, descuidando de tu bienestar físico y/o espiritual, no poniendo a Dios primero en tu vida.

Destacar lo positivo en tu vida y cambiar los aspectos negativos te ayudará a volver tu corazón y mente a Dios. Reflexionar en esto te ayudará a dar testimonio de la buena nueva de Jesucristo. Completa el siguiente cuadro.

Lo que agradezco	Lo que puedo mejorar

Ten confianza en que el Espíritu Santo te está guiando mientras tratas de cambiar y crecer como discípulo de Jesucristo.

CHAPTER 2

The Coming of the Holy Spirit

"You will receive power when the holy Spirit comes upon you, and you will be my witnesses."
Acts of the Apostles 1:8

Candidate, your time of preparation for Confirmation is a time of conversion, turning your mind and heart to God. The Holy Spirit is guiding you as you:

- Focus on your positive attitudes or unselfish choices—sharing time and talents, helping at home and in the community, putting a greater effort into school work, giving more time to prayer, participating at Mass each week.
- Discard your negative attitudes or selfish choices—saying hurtful things, being disrespectful to the people in your life, not taking care of your physical and/or spiritual well-being, not putting God first in your life.

Highlighting what is positive in your life and changing negative aspects will help you to turn your heart and mind to God. Reflecting on these matters will help you give witness to the Good News of Jesus Christ. Complete the chart below.

What I'm Grateful For	What I Can Improve

Be confident that the Holy Spirit is guiding you as you strive to change and grow as a disciple of Jesus Christ.

La ascensión de Cristo inicia el tiempo del Espíritu.

En la Biblia, leemos que después que Jesús murió y resucitó, él pasó cuarenta días con sus discípulos, ayudándolos y dándoles ánimo para que usaran sus dones para continuar su trabajo. El les habló sobre el poder del Espíritu Santo. El les enseñó sobre el reino de Dios y los preparó para seguir su misión.

Cuarenta días después de la **resurrección**, Jesús se apareció a sus discípulos, comió y habló con ellos. Durante esta última reunión con Cristo resucitado los apóstoles le preguntaron: "Señor, ¿vas a restablecer ahora el reino de Israel?" (Hechos de los apóstoles 1:6). Jesús les dijo que su Padre tenía un plan para todo y ese no era aún el tiempo del cumplimiento del reino de Dios. Jesús los ayudó a entender que: "El tiempo presente, según el Señor, es un tiempo del Espíritu y del testimonio" (*CIC*, 672). El les dijo: "Ustedes recibirán la fuerza del Espíritu Santo; él vendrá sobre ustedes para que sean mis testigos en Jerusalén, en toda Judea, en Samaría y hasta los extremos de la tierra". (Hechos de los apóstoles 1:8)

"Después de decir esto, lo vieron elevarse, hasta que una nube lo ocultó de su vista" (Hechos de los apóstoles 1:9). Este glorioso evento, que tuvo lugar cerca de Jerusalén, en la montaña llamada Olivos, es llamado la **ascensión**. La ascensión de Jesucristo significa para sus seguidores que, de ese momento en adelante, Jesús está con su Padre en el cielo y también con nosotros por siempre, por medio del Espíritu Santo.

Después que Cristo ascendió a los cielos con su Padre, los apóstoles regresaron a Jerusalén. Ahí se unieron a María, la madre de Jesús, y a otros discípulos. No hay duda de que ellos hubieran querido mantener por siempre esos momentos con Jesús. No tenían que preocuparse porque Cristo les había asegurado que estaría con ellos siempre, no como había estado o en el recuerdo, sino *por medio del Espíritu Santo* especialmente en la Eucaristía.

Novena

Después de la ascensión de Jesucristo, María y los apóstoles rezaron juntos durante nueve días mientras esperaban la venida del Espíritu Santo. Estos nueve días de oración se considera la primera novena, práctica de oración de la Iglesia. *Novena*, viene del latín y significa "nueve" y consiste en nueve días consecutivos de oración por una intención o propósito específico. Las novenas se hacen en grupos o individualmente. Puedes hacer la misma oración todos los días o diferentes oraciones durante la novena. Las novenas pueden ayudarnos a preparar para un evento especial, para la celebración de un sacramento o para un día de fiesta.

Christ's Ascension begins the time of the Spirit.

In the Bible, we read that after Jesus died and rose from the dead, he spent forty days with his disciples, helping them and giving them the courage to use their gifts to continue his work. He spoke to them about the power of the Holy Spirit. He taught them about the Kingdom of God. And he prepared them to carry on his mission.

Then, forty days after his **Resurrection**, Jesus again appeared to his disciples, ate with them, and talked to them. And at this last gathering with the risen Christ the Apostles asked him, "Lord, are you at this time going to restore the kingdom to Israel?" (Acts of the Apostles 1:6) Jesus told them that his Father had a plan for all things, and that this was not yet the time for the fulfillment of God's Kingdom. Jesus helped them to understand that "the present time is the time of the Spirit and of witness" (*CCC*, 672). He said to them, "But you will receive power when the holy Spirit comes upon you, and you will be my witnesses in Jerusalem, throughout Judea and Samaria, and to the ends of the earth" (Acts of the Apostles 1:8).

"When he had said this, as they were looking on, he was lifted up, and a cloud took him from their sight." (Acts of the Apostles 1:9) This glorious event, which took place near Jerusalem —on the mount called Olivet, is called the **Ascension**. The Ascension of Jesus Christ signifies to his followers that, from that moment forward, Jesus is with the Father in Heaven, and also with us forever, through the Holy Spirit.

After Christ ascended to his Father, the Apostles returned to Jerusalem. There they joined Mary, the Mother of Jesus, and some of the other disciples. No doubt, they wished they could hold on to all their moments with Jesus forever! But they didn't need to worry because Christ had assured them that he would be with them always—not as he had been present to them, and not just in their memories of him, but *through the Holy Spirit* especially in the Eucharist.

Novena

After Jesus' Ascension, Mary and the Apostles prayed together for nine days as they waited for the coming of the Holy Spirit. These nine days of prayer are considered the first novena, a prayer practice of the Church. A *novena*, from the Latin word meaning "nine," consists of nine consecutive days of prayer for a particular intention or purpose. Novenas can be made as a group or individually. You can pray the same prayer each day, or different prayers throughout the novena. Novenas can help us prepare for a special event, for the celebration of a sacrament, or for a feast day.

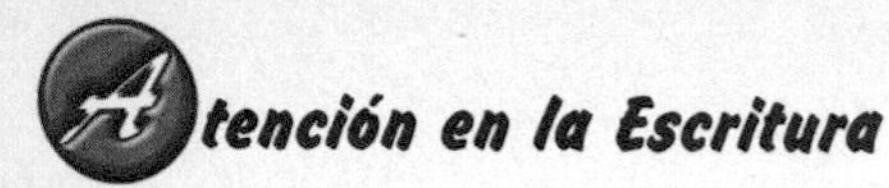

Atención en la Escritura

Lee el recuento bíblico de la ascensión y el regreso de los discípulos a Jerusalén en Hechos de los apóstoles 1:1–14.

Toma un momento para reflexionar en:

- ¿Cómo se sentirían los discípulos al regresar a Jerusalén?
- ¿Cómo el permanecer juntos los ayudó?

Cuando pierdes a un ser querido, ¿cómo te ayuda el ser parte de la comunidad de fe? Comparte tus respuestas con otro candidato o con tu padrino o madrina.

Conexión con la liturgia

La liturgia es la oración oficial y publica de la Iglesia. La liturgia de la Iglesia para la solemnidad de la Ascensión de Jesús se celebra alrededor de 40 días después del Domingo de Pascua. En la fiesta de la Ascensión, nos reunimos para la misa con nuestra comunidad parroquial para celebrar el regreso de Jesús al cielo con su Padre. En muchas diócesis de los Estados Unidos esta fiesta es un día de precepto celebrado un jueves durante el Tiempo de Pascua. Otras diócesis celebran la Ascensión el domingo siguiente.

Llamado a los Candidatos

Individualmente o junto con otro candidato a la Confirmación escribe una novena al Espíritu Santo para rezarla mientras te preparas para la Confirmación. Puede ser una oración para rezarla durante nueve días o nueve diferentes oraciones.

Confirmación PyR

¿Cuál es el significado de la ascensión de Jesucristo?

Calling All Candidates

Working by yourself or with another Confirmation candidate, write a novena to the Holy Spirit that you can pray as you prepare for Confirmation. It can be one prayer to be prayed each day for nine days or nine different prayers.

Spotlight on Scripture

Read the Scripture account of the Ascension and the disciples' return to Jerusalem in Acts of the Apostles 1:1–14.

Take a few moments to reflect on:

- what Jesus' disciples may have felt when they returned to Jerusalem
- how being together might have helped them.

When you experience times of loss how does being part of a community of faith help you? Share your answers with another Confirmation candidate or your sponsor.

Liturgy Connection

Liturgy is the official public prayer of the Church. The Church's liturgy for the Solemnity of Jesus' Ascension is celebrated about forty days after Easter Sunday. On the Feast of the Ascension, we gather for Mass with our parish community to celebrate Jesus' return to the Father in Heaven. In many dioceses of the United States this feast is a holy day of obligation celebrated on Thursday during the Easter season. Other dioceses celebrate the Ascension on the following Sunday.

Confirmation Q & A

What did the Ascension of Jesus Christ signify?

En Pentecostés el Espíritu inicia la era de la Iglesia.

Cuando los apóstoles de Jesús, su madre María y otros discípulos estaban reunidos en Jerusalén durante la fiesta judía de Semanas, el Espíritu Santo vino a ellos como Jesús lo había prometido. "De repente vino del cielo un ruido, semejante a una ráfaga de viento impetuoso, y llenó toda la casa donde se encontraban. Entonces aparecieron lenguas como de fuego, que se repartían y se posaban sobre cada uno de ellos. Todos quedaron llenos del Espíritu Santo y comenzaron a hablar en lenguas extrañas, según el Espíritu los movía a expresarse". (Hechos de los apóstoles 2:2–4)

Por medio de este derrame del Espíritu sobre ellos, los apóstoles y los demás discípulos fueron hechos una "nueva creación". Ellos ya no tenían miedo —solos, sin su Señor—sino fueron fortalecidos para construir la comunidad de discípulos y renovar la tierra en el amor de Dios. Ellos empezaron a proclamar la buena nueva de Cristo a todas las personas reunidas en Jerusalén. A pesar de que esas personas no hablaban las mismas lenguas, entendieron el mensaje, diciendo: "Todos los oímos proclamar en nuestras lenguas las grandezas de Dios" (Hechos de los apóstoles 2:11). Este día, conocido hoy como **Pentecostés**, marca el "nacimiento de la Iglesia y su misión universal".

En el día de Pentecostés el apóstol Pedro ofreció un poderoso discurso a la multitud, explicando que Jesucristo murió, resucitó y regresó a su Padre en el cielo, y que envió al Espíritu Santo. Cuando la gente que estaba oyendo a Pedro le preguntó qué debían hacer, Pedro les dijo: "Conviértanse y háganse bautizar cada uno de ustedes en el nombre de Jesucristo, para que queden perdonados sus pecados. Entonces recibirán el don del Espíritu" (Hechos de los apóstoles 2:38). Ese día aproximadamente 3,000 personas aceptaron la buena nueva de Jesucristo y se bautizaron en la Iglesia.

Escribe una afirmación describiendo los sentimientos y acciones de los discípulos después de la ascensión.

Escribe una afirmación describiendo los sentimientos y acciones de los discípulos después del evento de Pentecostés.

¿Qué cambios esperas ver en tu vida después de ser sellado con el don del Espíritu Santo en la Confirmación?

At Pentecost the Spirit begins the age of the Church.

When Jesus' Apostles, his Mother Mary, and some of the other disciples were gathered together in Jerusalem during the Jewish feast of Weeks, the Holy Spirit came to them as Jesus had promised. For, "suddenly there came from the sky a noise like a strong driving wind, and it filled the entire house in which they were. Then there appeared to them tongues as of fire, which parted and came to rest on each one of them. And they were all filled with the holy Spirit and began to speak in different tongues, as the Spirit enabled them to proclaim" (Acts of the Apostles 2:2–4).

Through this outpouring of the Holy Spirit upon them, the Apostles and other disciples were "created anew." They were no longer frightened—alone without their Lord—but were empowered to build up the community of disciples and renew the earth in God's love. They began to proclaim the Good News of Christ to all the people gathered in Jerusalem. And though these people did not all speak the same language, they all understood the message, saying "we hear them speaking in our own tongues of the mighty acts of God" (Acts of the Apostles 2:11). This day, known to us today as **Pentecost**, marks the "birth" of the Church—and her worldwide mission!

On this day of Pentecost the Apostle Peter gave a powerful speech to the crowds, explaining that Jesus Christ died, rose, returned to his Father in Heaven, and sent forth the Holy Spirit. And when the people who were listening to Peter asked what they should do next, Peter told them, "Repent and be baptized, every one of you, in the name of Jesus Christ for the forgiveness of your sins; and you will receive the gift of the holy Spirit" (Acts of the Apostles 2:38). That very day about 3,000 people accepted the Good News of Jesus Christ and were baptized into the Church.

Write a statement describing the disciples' feelings and actions after Jesus' Ascension.

Write a statement describing the disciples' feelings and actions after the Pentecost event.

What changes do you hope to see in your life after you are sealed with the Gift of the Holy Spirit in Confirmation?

Personas santas

San Pedro

Pinturas y estatuas de san Pedro generalmente lo muestran agarrando un par de llaves. En el Evangelio de Mateo, inmediatamente después que Pedro declara su fe en Jesús como el Mesías. Jesús dice: "Tú eres Pedro, y sobre esta piedra edificaré mi iglesia . . . Te daré las llaves del reino de los cielos" (Mateo 16:19, 19). Jesús reconoce en Pedro sus dones de fortaleza y su fidelidad, y lo hace la base visible de la Iglesia. El papa y todos los obispos siguen los pasos de este gran santo y los otros apóstoles, al cumplir su papel como líderes de la Iglesia. Para aprender más sobre san Pedro, visita *Vidas de santos* en www.inspiradosporelespiritu.com.

Los dones del Espíritu Santo

Nuestras vidas de discípulos son alimentadas por los dones del Espíritu Santo, que nos fueron dados en el Bautismo. Estos dones espirituales nos ayudan a vivir como Jesús pide a sus seguidores vivir. Como cualquier otro don, estos dones del Espíritu Santo deben ser "abiertos" por nosotros y usados en nuestras vidas y decisiones y acciones hacia los demás. Igual que los dones de habilidad atlética o talento musical, estos dones crecen en nosotros con la práctica y el uso regular. Aquí tenemos un vistazo de los dones del Espíritu Santo. Considera como los has usado y como pueden ayudarte mientras te preparas para la Confirmación. Dios nos ha dado esos dones y respondemos usándolos.

- Usamos el don de *sabiduría* para ayudarnos a reconocer y seguir la voluntad de Dios en nuestras vidas.

- Usamos el don de *inteligencia* para abrir nuestros corazones para ser más compasivos y amorosos con los demás.

- Usamos el don de *consejo* para tomar buenas decisiones sobre como seguir a Cristo todos los días.

- Usamos el don de *fortaleza* para defender nuestra fe, aun cuando sea difícil o impopular.

- Usamos el don de *ciencia* para aplicar diariamente lo que sabemos sobre las enseñanzas de Jesús.

- Usamos el don de *piedad* para rezar más y respetar todo lo que Dios ha creado.

- Usamos el don de *temor de Dios* (maravillarnos y asombrarnos ante la presencia de Dios) para profundizar nuestra reverencia por Dios y aprecio por las maravillas de la creación de Dios.

¿Qué don usas con más frecuencia? ¿Cómo lo usas?

Confirmación PyR

¿Qué sucedió en Pentecostés?

The Gifts of the Holy Spirit

Our lives of discipleship are nourished by the gifts of Holy Spirit, which were given to us in Baptism. These spiritual gifts help us to live as Jesus asked his followers to live. Like any gift, these gifts of the Holy Spirit have to be "opened" by us and used in our daily lives, and in our decisions and actions toward others. And, like gifts of athletic ability or musical talent, these gifts grow in us with practice and regular use. Here is a look at the gifts of the Holy Spirit. Consider how you have already used these gifts and how they can help you as you prepare for Confirmation. God has given us these gifts and we respond by using these gifts.

- We use the gift of *wisdom* to help us see and follow God's will in our lives.

- We use the gift of *understanding* to open our hearts so that we can be more loving and compassionate towards others.

- We use the gift of *counsel* (right judgment) to make choices about ways to follow Christ each day.

- We use the gift of *fortitude* to stand up for what we believe, even when it is difficult or unpopular.

- We use the gift of *knowledge* to apply what we know about the teachings of Jesus to everyday life.

- We use the gift of *piety* to become more prayerful, and to respect all that God has made.

- We use the gift of the *fear of the Lord* (wonder and awe in God's presence) to deepen our reverence for God and appreciation for the wonders of God's creation.

Which gift do you use most frequently? In what way?

Saints and Holy People

Saint Peter

Paintings and statues of Saint Peter usually show him holding a pair of keys. In the Gospel of Matthew, right after Peter declares his faith in Jesus as the Messiah Jesus says, "You are Peter, and upon this rock I will build my church...I will give you the keys to the kingdom of heaven" (Matthew 16:18, 19). Jesus recognizes in Peter his gifts of strength and his faithfulness, and makes him the visible foundation of the Church. The pope and all the bishops follow in the footsteps of this great saint, and the other Apostles, as they carry out their roles as leaders of the Church. To learn more about Saint Peter, visit *Lives of the Saints* featured on www.inspiredbythespirit.com.

Confirmation Q & A

What happened on Pentecost?

Los apóstoles comparten el Espíritu Santo.

El Espíritu Santo se quedó con los apóstoles y los demás discípulos fortaleciéndolos y guiándolos para continuar el trabajo de Jesús en el mundo. Muchos otros siguieron y creyeron en Jesús y fueron bautizados. Estos nuevos bautizados también recibieron el Espíritu Santo cuando los apóstoles imponían sus manos en ellos. Esta antigua acción era un poderoso signo de la bendición de Dios y por su autoridad y gracia que se daba en nombre de Dios.

Como leemos en el *Catecismo de la Iglesia Católica*: "Los apóstoles, en cumplimiento con la voluntad de Cristo, comunicaban a los neófitos, mediante la imposición de las manos, el don del Espíritu Santo, destinado a completar la gracia del Bautismo" (*CIC*, 1288). Desde el inicio de la Iglesia, ha habido una conexión entre el Bautismo y la imposición de las manos por los apóstoles reconocida desde el inicio de la Iglesia como el inicio del sacramento de la Confirmación.

A través de la historia del pueblo judio, la unción con aceite fue un signo de la presencia de Dios en la vida de la persona, un signo de que Dios había escogido a esa persona para una misión especial. Asi que: "Muy pronto, para mejor significar el don del Espíritu Santo, se añadió a la imposición de las manos una unción con óleo perfumado (*crisma*)". (*CIC*, 1289)

Este rito de unción continúa desde ese tiempo, y: "Confirma el Bautismo y robustece la gracia bautismal" (*CIC*, 1289). Con el tiempo esta unción se hizo signo esencial del don del Espíritu Santo en el **sacramento de la Confirmación**. Como podemos leer en el *Catecismo de la Iglesia Católica*: "El rito esencial de la Confirmación es la unción con el Santo Crisma en la frente del bautizado... con la imposición de la mano del ministro y las palabras... 'Recibe por esta señal el don del Espíritu Santo'". (*CIC*, 1320)

The Apostles impart the Holy Spirit.

The Holy Spirit remained with the Apostles and other disciples, strengthening and guiding them in continuing Jesus' work in the world. And many more followers came to believe in Jesus and were baptized! These newly baptized, too, received the Holy Spirit when the Apostles placed their hands on them. This ancient action was a powerful sign of God's blessing, and by it authority and grace were given in God's name.

As we can read in the *Catechism of the Catholic Church*, "The apostles, in fulfillment of Christ's will, imparted to the newly baptized by the laying on of hands the gift of the Spirit that completes the grace of Baptism" (*CCC*, 1288). So from the very beginning of the Church, there was a connection between Baptism and the laying on of hands by the Apostles—which is recognized by the Church as the beginning of the Sacrament of Confirmation.

Yet throughout the history of the Jewish People, anointing someone with oil was a sign of God's presence in the life of that person—a sign that God had chosen that person for a special mission. So, "very early, the better to signify the gift of the Holy Spirit, an anointing with perfumed oil (*chrism*) was added to the laying on of hands" (*CCC*, 1289).

This rite of anointing has continued since that time, and "confirms baptism and strengthens baptismal grace" (*CCC*, 1289).

And in time this anointing became the essential sign of the Gift of the Holy Spirit in the **Sacrament of Confirmation**. As we can read in the *Catechism of the Catholic Church*, "The essential rite of Confirmation is anointing the forehead of the baptized with sacred chrism... together with the laying on of the minister's hand and the words...'Be sealed with the Gift of the Holy Spirit'" (*CCC*, 1320).

Personas santas

Santa Isabel de Portugal

Isabel nació en 1271 y fue hija de una familia real. Se casó con Dionisio, el rey de Portugal. Juntos trabajaron para satisfacer las necesidades del pueblo de su país. Isabel supervisó el establecimiento de los hospitales, los orfelinatos y las iglesias. Aprende más sobre ella visitando **www.inspiradosporelespiritu.com**.

Como parte de la preparación para la Confirmación se invita a los candidatos a escoger y seguir el ejemplo de una persona santa. ¿Cómo puedes seguir el ejemplo de santa Isabel de Portugal?

Atención en la Escritura

Unción

La práctica de unción con aceite es un ritual antiguo. En el Antiguo Testamento leemos que Dios pidió a Moisés combinar finas especias con aceite de oliva para hacer un "ungüento sagrado" (Exodo 30:25). Después le pidió usar ese aceite para ungir a su hermano Aron, sus hijos y los lugares y artículos sagrados usados en el culto. En otros lugares de la Biblia, los reyes fueron ungidos con óleo sagrado como símbolo del poder y autoridad que recibían de Dios. David, por ejemplo, fue ungido y: "A partir de aquel día el espíritu del Señor entró en David" (1 Samuel 16:13). Jesús citó al profeta Isaías cuando habló de su propia unción (ver Lucas 4:18). Esta práctica sagrada está tan viva hoy como lo fue hace miles de años. Es un signo poderoso de la presencia del Espíritu Santo en nuestras vidas al llevar la buena nueva de Cristo al mundo a nuestro alrededor.

Llamado a los Candidatos

Con frecuencia se dice que cuando uno es bautizado es "cristianizado". Es así porque cuando somos bautizados nos hacemos cristianos somos ungidos por primera vez con óleo llamado *santo crisma*. Esta unción nos marca como pertenecientes a Cristo. ¿Qué significa ser marcado para Cristo? ¿Cómo cambia eso la forma en que la persona bautizada trata a los demás?

Haz un logo o icono personal que te identifique como cristiano "marcado para Cristo" para ponerlo en una página web social.

Confirmación PyR

¿Cuál es el rito esencial de la Confirmación?

Calling All Candidates

It is often said that at your Baptism you were "christened." That's because when you were baptized you became a Christian. You were anointed with the oil called *Sacred Chrism*. This anointing marked you as belonging to Christ. What does it mean to be marked for Christ? How does that change the way a baptized person acts towards others?

Create a personal logo or icon that could be posted on a social networking page to identify you as a Christian "marked for Christ."

Saints and Holy People

Saint Elizabeth of Portugal

Elizabeth was born into a royal family in 1271. Later, she married Dinis, the king of Portugal. The couple worked together to provide for their country's people. Elizabeth supervised the establishment of hospitals, orphanages, and churches. Learn more about her by visiting **www.inspiredbythespirit.com.**

As part of preparation for Confirmation, candidates are invited to choose and follow the example of a holy person. How can you follow the example of Saint Elizabeth of Portugal?

Spotlight on Scripture

Anointing

The practice of anointing with oil is an ancient ritual. In the Old Testament, we read that Moses was instructed by God to combine the finest spices with olive oil in order to create a "sacred anointing oil" (Exodus 30:25). He was further instructed to use this oil to anoint his brother, Aaron, and his sons, as well as the sacred spaces and articles that were used as part of their worship. In other parts of the Bible, kings were anointed with sacred oil as a symbol of the power and authority they received from God. David, for example, was anointed and "from that day on, the spirit of the Lord rushed upon [him]" (1 Samuel 16:13). Jesus quoted the prophet Isaiah, when he spoke of his own anointing (see Luke 4:18). This sacred practice is as vivid today as it was thousands of years ago. It is a powerful sign of the Holy Spirit's presence in our lives as we seek to bring the Good News of Christ to the world around us.

Confirmation Q & A

What is the essential rite of Confirmation?

El derrame del Espíritu Santo continúa en el Bautismo y la Confirmación.

Al inicio de la Iglesia el Bautismo y la Confirmación generalmente eran celebrados juntos. El bautizado recibía una doble unción con **santo crisma**: aceite perfumado consagrado, bendecido, por un obispo. La primera unción era dada por el sacerdote y la segunda por el obispo. Al crecer la Iglesia, los territorios y las responsabilidades de sus líderes crecieron y los obispos no podían estar presentes en todas las celebraciones bautismales.

En muchas áreas locales la celebración del sacramento del Bautismo y la Confirmación se separó. El sacramento del Bautismo siguió siendo celebrado por los sacerdotes y diáconos en las comunidades locales, dando a los bautizados la primera unción con Santo Crisma. La celebración del sacramento de la Confirmación, con la segunda unción con Santo Crisma de la persona bautizada, era reservada para el obispo.

En la Iglesia hoy, por medio del sacramento del Bautismo, también recibimos el don del Espíritu Santo y por medio del sacramento de la Confirmación, también somos ungidos y sellados con el Espíritu. El mismo Espíritu Santo que fortaleció a los apóstoles y los demás discípulos de Jesús para continuar su misión en el mundo nos fortalece también a nosotros. Así, las palabras de Jesús a sus primeros discípulos son también sus palabras para nosotros: "Ustedes recibirán la fuerza del Espíritu Santo...para que sean mis testigos en Jerusalén...hasta los extremos de la tierra". (Hechos de los apóstoles 1:8)

Misa del Santo Crisma

Cada año antes del **Triduum**, el obispo y los sacerdotes de la diócesis se reúnen para celebrar la misa del Crisma. Durante esta misa el obispo bendice tres óleos, que serán usados en los ritos de los sacramentos durante el año. Estos óleos son: óleo de los catecúmenos (Bautismo), óleo de los enfermos (Unción de los Enfermos) y Santo Crisma (Bautismo, Confirmación y Orden). Compartir estos óleos bendecidos con las parroquias es un signo de la unidad de los obispos, los sacerdotes y los fieles de la diócesis.

Los sacerdotes de las parroquias ponen esos óleos en un lugar de honor en sus iglesias. En muchas iglesias, el armario donde se guardan los óleos está en el santuario. En otros está cerca de la fuente bautismal.

Visita el armario de los óleos en tu parroquia. Reza por los que serán ungidos con esos óleos este año.

The outpouring of the Holy Spirit continues through Baptism and Confirmation.

In the early Church Baptism and Confirmation were usually celebrated together. Thus, the baptized person received a double anointing with the **Sacred Chrism**—perfumed oil consecrated, or blessed, by a bishop. The first anointing was given by the priest and the second anointing by the bishop. But as the Church grew, the territories and responsibilities of its leaders grew, and bishops were not always able to be present at every baptismal celebration.

So in many local areas the celebration of the Sacrament of Baptism and that of Confirmation became separated. The Sacrament of Baptism continued to be celebrated by the priests and deacons in the local communities, with the priest or deacon giving the newly baptized the first anointing with Sacred Chrism. The celebration of the Sacrament of Confirmation, with the second anointing of the baptized person with Sacred Chrism, was reserved to the bishop himself.

In the Church today, through the Sacrament of Baptism we, too, receive the Gift of the Holy Spirit and through the Sacrament of Confirmation we, too, are anointed and sealed with the Spirit. The same Holy Spirit who empowered the Apostles and other disciples to continue Jesus' work in the world empowers us too! Thus, Jesus' words to his first disciples are also his words to us, "you will receive power when the holy Spirit comes upon you, and you will be my witnesses...to the ends of the earth" (Acts of the Apostles 1:8).

Chrism Mass

Each year right before the **Easter Triduum**, the bishop and priests of the diocese gather to celebrate the Chrism Mass. During this Mass the bishop blesses three oils, which will be used in the sacramental rites throughout the year. These holy oils are: oil of catechumens (Baptism), oil of the sick (The Anointing of the Sick), and Sacred Chrism (Baptism, Confirmation, and Holy Orders). The sharing of these blessed oils with the parishes is a sign of the unity of the bishops, priests, and the faithful in the diocese.

The parish priests place these blessed oils in a place of honor in their churches. This place is called the *ambry*. In many churches, the ambry is in the sanctuary. In others, it is near the baptismal font.

Visit the ambry in your parish church. Pray for those who will be anointed with these oils this year.

Conexión con el Catecismo

"Muy pronto, para mejor significar el don del Espíritu Santo, se añadió a la imposición de las manos una unción con óleo perfumado (crisma). Esta unción ilustra el nombre de 'cristiano' que significa 'ungido' y que tiene su origen en el nombre de Cristo, al que 'Dios ungió con el Espíritu Santo'". (*CIC*, 1289)

Por medio del sacramento de la Confirmación, el mismo Espíritu Santo que fortaleció a los apóstoles y a otros discípulos para continuar el trabajo de Jesús en el mundo también te fortalecerá. Reflexiona en esto y conversa con tu padrino sobre como esperas participar en el trabajo de Jesús.

Símbolos del Espíritu Santo: Fuego

Mira la ilustración en las páginas 30–31. ¿Recuerdas algún pasaje bíblico que hable del fuego? Hay uno en Hechos de los apóstoles. Este es sobre Pentecostés, cuando lenguas de fuego aparecieron a los discípulos de Jesús y fueron llenos del Espíritu Santo. Hay muchos otros lugares en la Biblia donde la presencia del Espíritu Santo se presenta como fuego. En respuesta a la oración del profeta Elías: "Bajó el fuego del Señor, consumió el holocausto y la leña, las piedras y el polvo, y secó el agua de la zanja" (1 Reyes 18:38). Juan el Bautista proclamó que Jesús sería bautizado con: "Espíritu Santo y fuego" (Lucas 3:16). Jesús en referencia al Espíritu Santo dijo: "He venido a encender fuego a la tierra; y ¡cómo desearía que ya estuviera ardiendo!" (Lucas 12:49)

Mientras continúas tu jornada como candidato a la Confirmación deja que la imagen del fuego te recuerde el poder transformador y vigorizante del Espíritu Santo. Igual que el fuego que toca todo a su paso, el Espíritu Santo llega a cada uno de nosotros para cambiarnos.

Llamado a los Candidatos

Hoy, la tecnología hace posible dar testimonio de Cristo a nuestros amigos y familiares así como a personas en todo el mundo.

Junto con otro candidato a la Confirmación o individualmente, haz un plan usando la tecnología para efectivamente "llegar a los confines de la tierra" para dar testimonio de Jesucristo.

Confirmación PyR

¿Cómo se relacionan los sacramentos del Bautismo y la Confirmación?

Symbols of the Holy Spirit: Fire

Look back to the image on pages 30–31. Do you remember any passages from Scripture about fire? One is in Acts of the Apostles. It is about Pentecost, when tongues of fire appeared to Jesus' disciples and they were filled with the Holy Spirit. There are many more places throughout the Bible in which the presence of the Holy Spirit is depicted as fire. In response to the prophet Elijah's prayer, "The Lord's fire came down and consumed the holocaust, wood, stones, and dust, and it lapped up the water in the trench" (1 Kings 18:38). John the Baptist proclaimed that Jesus "will baptize you with the holy Spirit and fire" (Luke 3:16). Jesus said in regards to the Holy Spirit, "I have come to set the earth on fire, and how I wish it were already blazing" (Luke 12:49).

As you continue your journey as a candidate for Confirmation, let the image of fire remind you of the transformative and energizing power of the Holy Spirit. Just as fire touches everything in its path, the Holy Spirit reaches each one of us and changes us.

Catechism Connection

"Very early, the better to signify the gift of the Holy Spirit, an anointing with perfumed oil (*chrism*) was added to the laying on of hands. This anointing highlights the name 'Christian,' which means 'anointed' and derives from that of Christ himself whom God 'anointed with the Holy Spirit.'" (*CCC*, 1289)

Through the Sacrament of Confirmation, the same Holy Spirit who empowered the Apostles and other disciples to continue Jesus' work in the world empowers you, too! Reflect on this, and discuss with your sponsor the ways you hope to share in Jesus' work.

Calling All Candidates

Today, technology makes it possible to witness to Christ to our friends and family as well as to people all over the world.

Working by yourself or with another Confirmation candidate, make a plan that uses technology to effectively "reach the ends of the earth" in your witnessing to Jesus Christ.

Confirmation Q & A

How are the Sacraments of Baptism and Confirmation connected?

Oración

Todos: En el nombre del Padre, y del Hijo,
y del Espíritu Santo. Amén.

Líder: Padre de luz de donde viene todo bien,
envía tu Espíritu a nuestras vidas
con el poder de un fuerte viento
y con la llama de tu sabiduría
abre nuestros horizontes y nuestras mentes.
(Liturgia de las Horas, Pentecostés)

Todos: Abrenos al Espíritu Santo.

Lector : Lectura del Evangelio de Lucas.
"El pueblo estaba a la expectativa y todos se preguntaban si no sería Juan el Mesías. Entonces Juan les dijo: 'Yo los bautizo con agua; pero viene el que es más fuerte que yo, a quien no soy digno de desatar la correa de sus sandalias. El los bautizará con Espíritu Santo y fuego'".
(Lucas 3:15–16)

Palabra del Señor.

Todos: Gloria a ti, Señor Jesús.

Grupo 1: Ven Espíritu Santo, llena los corazones de tu fieles,

Grupo 2: y enciende en ellos el fuego de tu amor.

Grupo 1: Envía tu Espíritu, Señor,
y serán creados,

Grupo 2: y renovarás la faz de la tierra.

Todos: Espíritu Santo, llena nuestros corazones con tu amor.
Amén.

Let Us Pray

All: In the name of the Father, and of the Son,
and of the Holy Spirit. Amen.

Leader: Father of light, from whom
every good gift comes,
send your Spirit into our lives
with the power of a mighty wind,
and with the flame of your wisdom
open the horizons of our minds.
(Liturgy of the Hours, Pentecost)

All: May we be open to the Holy Spirit.

Reader: A reading from the Gospel of Luke

"Now the people were filled with expectation, and all were asking in their hearts whether John [the Baptist] might be the Messiah. John answered them all saying, 'I am baptizing you with water, but one mightier than I is coming . . . He will baptize you with the Holy Spirit and fire.'"
(Luke 3:15–16)

The word of the Lord.

All: Thanks be to God.

Group 1: Come, Holy Spirit,
fill the hearts of your faithful,

Group 2: and kindle in them the fire of your love.

Group 1: Send forth your Spirit and they
shall be created.

Group 2: And you will renew the face of the earth.

All: Holy Spirit, fill our hearts with love.
Amen.

Enviado

COMUNIDAD

En Pentecostés, los discípulos fueron inspirados por el Espíritu Santo para predicar la buena nueva de Jesucristo a todo el mundo. Cuando asistas a misa pon atención en como tu parroquia comparte la buena nueva con personas de diferentes edades y culturas. Prepárate para conversar en la próxima sesión con otro candidato sobre algo que viste. Ofrece una oración por las personas de tu parroquia.

FAMILIA

Los santos interceden por nosotros ante Dios. Les rogamos que pidan a Dios por nosotros. Ellos son ejemplos de fieles discípulos de Jesús. Piensa en el nombre de un santo que te gustaría escoger reafirmar para tu Confirmación. Puedes escoger el nombre dado en el Bautismo, si este es el nombre de un santo. Sin embargo, puedes también escoger el nombre de otro santo.

Conversa con tu familia sobre los nombres de santos que ellos escogieron para su confirmación. Escribe sus nombres aquí. Al lado de cada nombre escribe algunas de las cualidades, características y dones del Espíritu Santo que la persona posee.

____

____

____

PADRINOS

Conversa con tu padrino o madrina sobre el "temor de Dios", uno de los dones del Espíritu Santo. Conversen sobre cómo el uso de este don aumenta tu aprecio por las maravillas de la creación de Dios. Si quieres puede caminar con tu padrino o madrina apreciando la naturaleza. Conversen sobre tu experiencia. Después compartan algunas formas en que pueden mostrar aprecio por la creación de Dios.

¿Qué dones del Espíritu Santo veo o reconozco en mi vida?

Go Forth

COMMUNITY

At Pentecost, the disciples were inspired by the Holy Spirit to spread the Good News of Jesus Christ to many other people. When you participate in Mass this week, pay particular attention to the ways your parish shares the Good News with people of different ages and backgrounds. Be prepared to discuss one of your observations with the other candidates at the next session. Offer a prayer for the people in your parish.

FAMILY

Saints intercede for us with God. We ask them to pray to God for us. They are examples of faithful discipleship to Jesus. Think about the saint's name you want to choose at Confirmation. You may choose to affirm the saint's name that you were given at Baptism. However, you may also choose the name of another saint.

Discuss with family members the saints' names they chose for Confirmation. Write some of their names here. Beside each name write a few of the qualities, characteristics, or gifts of the Holy Spirit that the person exemplifies.

____

____

____

SPONSOR

Have a conversation with your sponsor about "fear of the Lord," one of the gifts of the Holy Spirit. Discuss ways to use this gift to deepen your appreciation for the wonders of God's creation. You may want to take a virtual walk through nature with your sponsor. Talk about what you experienced. Then share a few ways that you can show appreciation for God's creation.

What gifts of the Holy Spirit do I see, or recognize, in my life?

La acción del Espíritu Santo en la Iglesia

"Yo he visto que el Espíritu bajaba desde el cielo . . ."

Juan 1:32

Al prepararte para la Confirmación toma tiempo para dar gracias a Dios por sus innumerables dones:

- Dones naturales del universo: el sistema solar, los mares, lagos, ríos, los animales y las plantas . . .
- Dones materiales: comida, ropa, albergues, medios de comunicación y entretenimiento . . .
- Dones no materiales: habilidad de razonar, amor, liberta de escoger, amistad . . .
- Dones espirituales: gracia, los sacramentos, los dones del Espíritu Santo, el don de Jesús mismo en la Eucaristía . . .

¿Qué don agradeces más?

____

✓ formas en que darás gracias

- ☐ Diciendo con frecuencia una corta oración de gracias a Dios.
- ☐ Cuidando de los dones de Dios y usándolos con responsabilidad.
- ☐ Manteniendo una lista para agradecer dones específicos por los que darás gracias a Dios.
- ☐ Asistiendo a misa todos los domingos y comulgado tan frecuentemente como te sea posible.

Escribe y envía una nota o mensaje a alguien que te ha ayudado a crecer como discípulo. Asegúrate de que el Espíritu Santo te ayudará a alimentar un corazón agradecido.

CHAPTER 3 The Action of the Holy Spirit in the Church

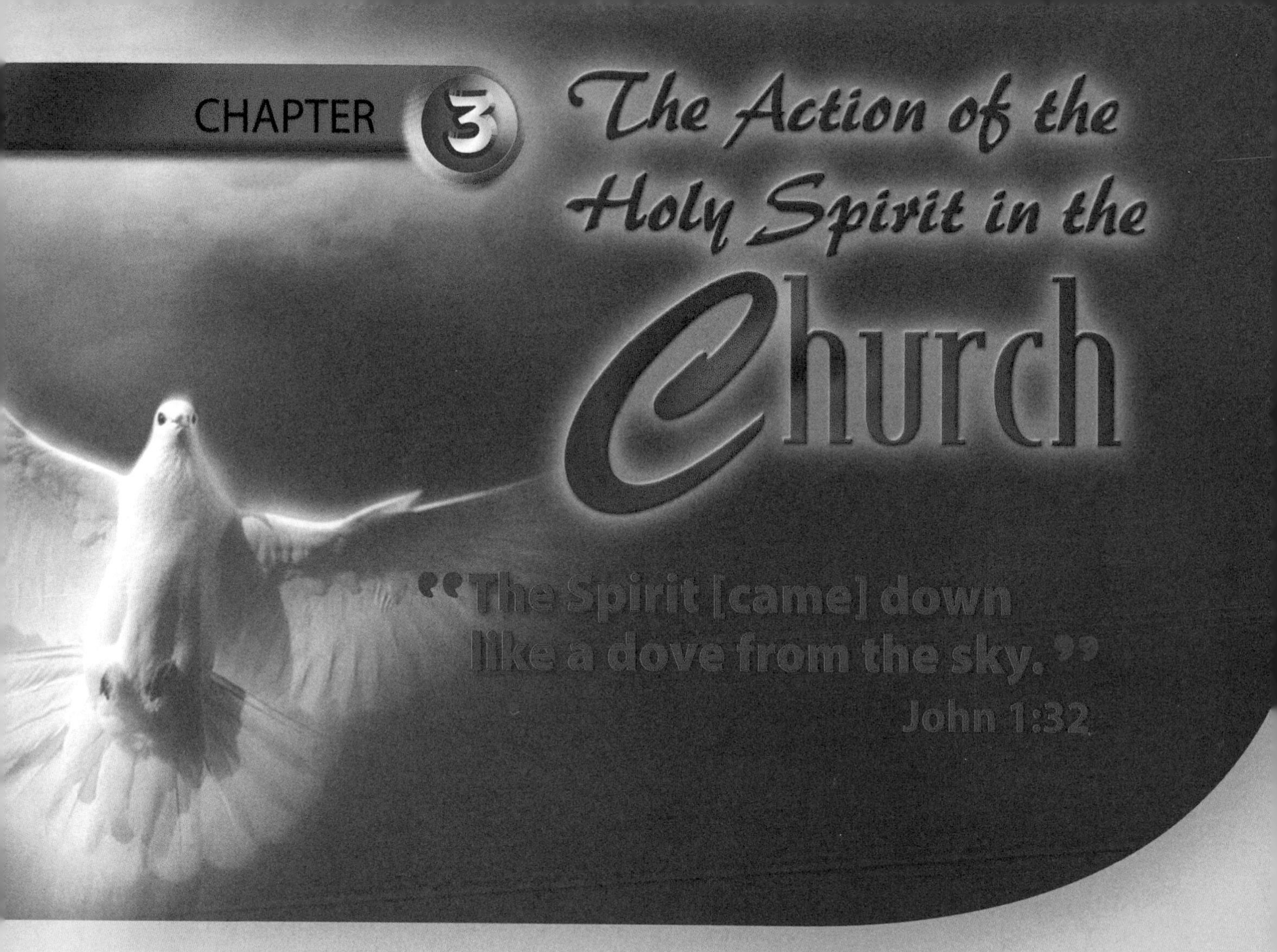

As you prepare for Confirmation take time to thank God for his innumerable gifts:

- Gifts of the natural world: the solar system, the seas, lakes, and rivers; the animal and plant world . . .
- Material gifts: food; shelter; clothing; means of communication and entertainment . . .
- Non-material gifts: the ability to reason; love; the freedom to choose; friendships . . .
- Spiritual gifts: grace; the sacraments; the gifts of the Holy Spirit; the gift of Jesus himself in the Eucharist . . .

What gift are you most thankful for?

____

✓ the ways you will give thanks.

- ☐ Say a short prayer of thanks to God often.
- ☐ Take care of God's gifts and use them responsibly.
- ☐ Keep a gratitude log, listing specific gifts for which you will thank God.
- ☐ Participate at Mass every Sunday and receive Jesus in Holy Communion as often as possible.

Write a note or send a message to someone who has helped you to grow as a disciple. Be assured that the Holy Spirit will help you to nurture a grateful heart.

El Espíritu Santo es la fuente de la vida de la Iglesia.

Después de la resurrección de Jesús él se apareció a sus discípulos y les dijo: "Como el Padre me ha enviado, yo también los envío a ustedes" (Juan 20:21). Entonces sopló sobre ellos y les dio una nueva vida, la vida del Espíritu Santo. Este derrame del Espíritu Santo permitió a los primeros discípulos recordar y presentar las enseñanzas que Jesús les había dado para su Iglesia. Desde ese momento: "La misión de Cristo y del Espíritu se convierte en la misión de la Iglesia". (*CIC*, 730)

La **Iglesia** es la asamblea del pueblo de Dios, la comunidad de personas que creen en Jesucristo, han sido bautizadas en él y siguen sus enseñanzas. Gradualmente por medio de la prédica de los apóstoles y los demás discípulos, la Iglesia creció. Muchos otros creyeron en Jesús y fueron bautizados en el Espíritu. Estos miembros de la Iglesia se unieron a Cristo en una vida común.

Se reunían a escuchar la palabra de Dios y a darle gracias por todo lo que había hecho por ellos. Llenos del Espíritu ellos reconocieron la presencia de Cristo cuando partió el pan. Entendieron que: "todos los que comen de este único pan, partido, que es Cristo, entran en comunión con él y forman un solo cuerpo en él". (*CIC*, 1329)

Por medio de las enseñanzas y escritos de los apóstoles los primeros miembros de la Iglesia empezaron a entender la relación única entre Cristo y su Iglesia. La Iglesia. . . vive de El, en El y por El; El vive con ella y en ella". (*CIC*, 807) Cristo es la cabeza del cuerpo, la Iglesia, y los miembros de la Iglesia, son el cuerpo de Cristo. Y de la experiencia de Pentecostés esos miembros de la Iglesia empezaron a entender que el Espíritu Santo está siempre presente con el Padre y el Hijo como la fuente de la vida, unidad y dones de la Iglesia. Ellos tuvieron una experiencia de Iglesia como templo del Espíritu Santo, sus miembros: "Van formando conjuntamente parte de la construcción, hasta llegar a ser, por medio del Espíritu, morada de Dios". (Efesios 2:22)

The Holy Spirit is the source of the Church's life.

After Jesus' Resurrection he appeared to his disciples and told them, "As the Father has sent me, so I send you" (John 20:21). Then he breathed on them and gave them new life—the life of the Holy Spirit. This outpouring of the Holy Spirit enabled those first disciples to recall and present the teachings that Jesus had handed over to them for his Church. From that moment on, "the mission of Christ and the Spirit becomes the mission of the Church" (*CCC*, 730).

The **Church** is the assembly of God's People—the community of people who believe in Jesus Christ, have been baptized in him, and follow his teachings. And gradually through the preaching of the Apostles and the other disciples, the Church grew—as many more followers believed in Jesus and were baptized with the Spirit. These Church members were united to Christ in one common life. They gathered together to hear God's Word and to thank him for all that he had done for them.

Filled with the Spirit, they recognized Christ's presence in the breaking of the bread. They understood that "all who eat the one broken bread, Christ, enter into communion with him and form but one body in him" (*CCC*, 1329).

Through the teachings and writings of the Apostles, the members of the early Church began to understand the unique relationship between Christ and his Church—"She lives from him, in him and for him; he lives with her and for her". (*CCC*, 807) Christ is the head of the body, the Church, and the members of the Church, are the Body of Christ. And from the Pentecost experience these Church members began to understand that the Holy Spirit is always present with the Father and the Son as the source of the Church's life, unity, and gifts! They experienced the Church as the Temple of the Holy Spirit—her members "being built together into a dwelling place of God in the Spirit" (Ephesians 2:22).

Atención en la Escritura

La Iglesia Primitiva

Recuentos de los inicios de la Iglesia se encuentran en Hechos de los apóstoles. Las prácticas de esos primeros cristianos—las enseñanzas de los apóstoles, la vida de la comunidad, la fracción del pan y la oración—continúan siendo partes de la Iglesia hoy. Lee Hechos de los apóstoles 2:42–47 y 4:32–35 para aprender más sobre como las primeras comunidades cristianas siguieron a Cristo.

Personas santas

Santa Teresa de los Andes

Teresa de los Andes nació en Santiago de Chile en 1900. Su nombre de bautismo era Juana, pero su familia la llamaba Juanita. Juanita fue educada en una escuela católica. Leyó sobre santa Teresa de Lisieux, quien fuera una hermana carmelita. Juanita quería servir a Dios como santa Teresa y cuando cumplió diecinueve años entró a lacomunidad de las carmelitas. Ahí recibió el nombre religioso Teresa. Siguiendo las reglas de la orden, Teresa pasó su vida en oración. También escribió cartas a personas expresando sus ideas sobre Dios y la vida espiritual. Desafortunadamente, a la edad de veinte años, Teresa se enfermó gravemente y murió.

La Iglesia celebra la fiesta de santa Teresa de los Andes el 12 de abril. Para encontrar más información sobre santa Teresa de los Andes, la primera santa chilena, visita: www.inspiradosporelespiritu.com.

Formas de orar

Con la guía del Espíritu Santo, cada uno de nosotros puede ofrecer su vida a Dios como una oración. Necesitamos tomar tiempo para rezar. Ese tiempo incluye reunirnos con nuestra comunidad parroquial para celebrar la Eucaristía y otros sacramentos, así como la oración personal.

Hay varias formas de orar. En nuestras oraciones de *bendición* dedicamos algo o alguien a Dios. En nuestras oraciones de *petición* pedimos algo a Dios, generalmente su perdón. En las oraciones de *intercesión* pedimos a Dios algo para otra persona, grupo de personas o el mundo. En las oraciones de *alabanza* damos gloria a Dios simplemente por ser Dios. En las oraciones de *acción de gracias* mostramos a Dios nuestro agradecimiento por todo lo que nos ha dado. Mostramos nuestra gratitud especialmente por la vida, muerte, resurrección y ascensión de Jesucristo. Esto lo hacemos especialmente cuando juntos hacemos la oración más importante de la Iglesia, la Eucaristía que es: "el corazón y la cumbre de la vida de la Iglesia". (*CIC*, 1407)

Escribe una oración pidiendo Dios por la Iglesia usando una de las formas descritas arriba.

____

____

Trabaja con otro candidato, imaginen que son apóstoles y escriban un mensaje para jóvenes de la Iglesia hoy.

____

¿Cuál sería una forma creativa de compartir tu mensaje con ellos?

____

Confirmación PyR

¿Qué es la Iglesia?

Forms of Prayer

With the guidance of the Holy Spirit, we can all offer God our whole lives as prayer. We need to set aside specific times for prayer. These times include gathering with our parish community to celebrate the Eucharist and other sacraments, gathering with our family to pray, and praying on our own.

There are several forms of prayer. In prayers of *blessing* we dedicate someone or something to God. In prayers of *petition* we ask something of God, usually for his forgiveness. In prayers of *intercession,* we ask God for something on behalf of another person, a group of people, or the world. In prayers of *praise* we give glory to God simply for being God. In prayers of *thanksgiving* we show God our gratitude for all he has given us, especially for the life, Death, Resurrection, and Ascension of Jesus Christ. We do this most especially every time we join in the greatest prayer of the Church, the Mass, which is "the heart and the summit of the Church's life" (*CCC*, 1407).

Using one of the forms of prayer described, write a prayer to God for the Church.

____

____

Working with another candidate, imagine that you are both Apostles and craft a message to the young people of the Church today.

____

What might be a creative way to share your message with them?

____

The Early Church

Accounts of the early Church are found in the Acts of the Apostles. The practices of these early Christians—the teachings of the Apostles, the life of the community, the breaking of the bread, and prayer—continue to be part of the Church today. Read Acts of the Apostles 2:42–47 and 4:32–35 to learn more about the ways the early Christian community followed Christ.

Saints and Holy People

Saint Teresa de los Andes

Teresa de los Andes was born in Santiago, Chile in 1900. Her baptismal name was Juana, but her family called her Juanita. Juanita was educated in a Catholic school. She read about Saint Thèrése of Lisieux, who was a Carmelite nun. Juanita wanted to serve God as Saint Thèrése had so, when Juanita was nineteen she entered the Carmelite community. Here, she received the religious name, *Teresa*. And following the rule of the Carmelite community, Teresa spent her life in prayer. She also wrote letters to people expressing her thoughts about God and the spiritual life. Unfortunately, at twenty years of age, Teresa became seriously ill and died.

The Church celebrates the feast day of Saint Teresa de los Andes on April 12. To find out more about Saint Teresa de los Andes, the first Chilean saint, visit www.inspiredbythespirit.com.

Confirmation Q & A

What is the Church?

Por medio del Espíritu Santo Cristo está presente en la Iglesia.

Construida por Cristo, basada en sus apóstoles y compartida por los fieles miembros a través de los años, la Iglesia hoy continúa como el pueblo de Dios, el cuerpo de Cristo y el templo del Espíritu Santo. Cada día el Espíritu Santo está trabajando en la Iglesia—en la **Escritura** y la **Tradición**, en la liturgia y en todos lo **sacramentos**, en la oración, en las enseñanzas y liderazgo de la Iglesia y en los dones y servicios de todos los miembros de la Iglesia vivos y difuntos. El Espíritu Santo, continuamente derramado por el Padre y el Hijo, no sólo guía y fortalece a los miembros de la Iglesia sino también atrae nuevos miembros. Esos miembros, dotados por Dios con fe, son invitados a empezar su vida en la Iglesia por medio de los sacramentos de iniciación cristiana. En esos sacramentos —Bautismo, Confirmación y Eucaristía —Jesús, por medio del Espíritu Santo, comparte la vida de Dios con nuevos miembros de la Iglesia y efectúa cambios en sus vidas. Ellos entran a la Iglesia, son fortalecidos y alimentados.

Como miembros de la Iglesia, nosotros también nos hacemos discípulos de Cristo por medio de la iniciación cristiana. El Bautismo, don y gracia de Dios, es el primer sacramento que celebramos. Este inicia nuestra nueva vida en Cristo y nos lleva a los otros dos sacramentos de iniciación cristiana. Por medio del Bautismo somos bienvenidos a la Iglesia, librados del pecado y nos hacemos hijos de Dios. Por medio del agua y del Espíritu somos iniciados, en el nombre del Padre, del Hijo, y del Espíritu Santo, en la vida de la gracia santificante—una participación en la verdadera vida de Dios. Somos unidos a Cristo y nos hacemos miembros del cuerpo de Cristo y del pueblo de Dios—unidos a todos los otros que han sido bautizados en Cristo. Nos hacemos templos del Espíritu Santo y compartimos en el sacerdocio de Cristo.

Mientras que el sacramento del Bautismo es: "el fundamento de toda la vida Cristiana, el pórtico de la vida en el espíritu... y la puerta que abre el acceso a los otros sacramentos" (*CIC*, 1213) la Confirmación "es necesaria para la plenitud de la gracia bautismal" (*CIC*, 1285). En la Confirmación los que hemos sido bautizados somos sellados con el don de Dios el Espíritu Santo. Nuestra unción bautismal se completa y confirma. Nos hacemos más capaces de vivir como discípulos y testigos de Cristo y se fortalece nuestra relación con la Iglesia.

Por medio del sacramento de la Eucaristía recibimos alimentación eterna. Por la consagración en la misa la transubstanciación del pan y el vino se convierten en el Cuerpo y la Sangre de Cristo tiene lugar por el poder del Espíritu Santo. Igual que los primeros apóstoles y discípulos, nos reunimos como comunidad para compartir la vida de Jesús, para hacernos uno con él y con los demás. Al compartir la Eucaristía, Jesús vive en nosotros y nosotros en él. El nos llena con su palabra y nos une como cuerpo de Cristo, la Iglesia. Cada vez que recibimos a Cristo en la Eucaristía, crece la gracia que recibimos por primera vez en nuestro bautismo—fortaleciendo nuestra vida como fieles discípulos de Cristo.

Un tríptico es un trabajo artístico que consisten en tres paneles o secciones enlazadas. Fueron muy populares al inicio del Renacimiento.

Usa los paneles para diseñar un tríptico para los sacramentos de iniciación cristiana. En cada panel o sección, dibuja o describe un símbolo para uno de los tres sacramentos: Bautismo, Confirmación y Eucaristía.

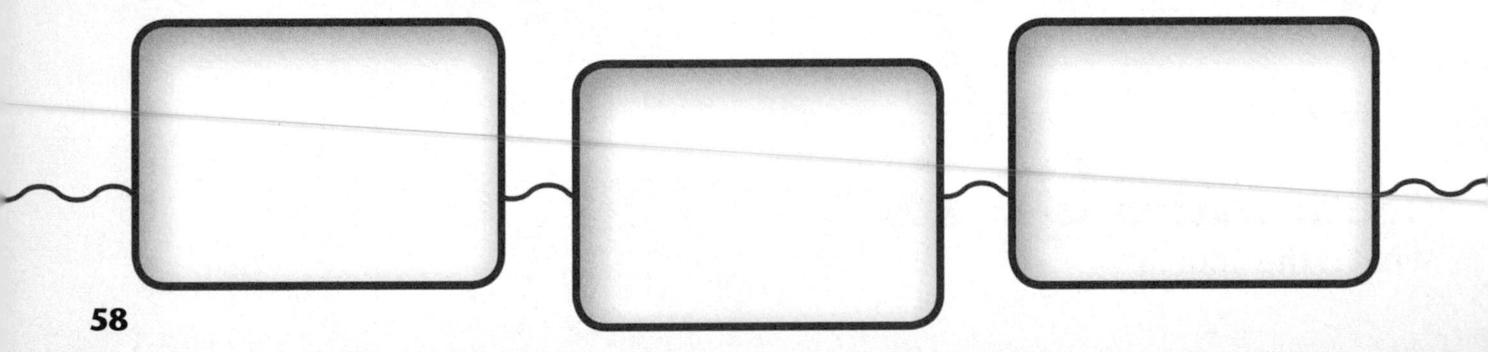

Through the Holy Spirit, Christ is present in the Church.

Built by Christ upon the foundation of his Apostles and shared by the faithful members throughout the ages, the Church today continues as the People of God, the Body of Christ, and the Temple of the Holy Spirit. Each day the Holy Spirit is at work in the Church—in **Scripture** and **Tradition**, in the liturgy and all the **sacraments**, in prayer, in the teachings and leadership of the Church, and in the gifts and service of all the living and deceased members of the Church. And the Holy Spirit, continually poured out by the Father and the Son, not only guides and strengthens Church members but also draws new members to the Church. These members, gifted by God with faith, are invited to begin their life in the Church through the Sacraments of Christian Initiation. In these Sacraments of Baptism, Confirmation, and Eucharist—Jesus, through the Holy Spirit, shares God's life with new Church members and effects change in their lives. They are born into the Church, strengthened, and nourished.

As members of the Church, we, too, first become disciples of Christ through Christian Initiation. Baptism a gift and grace of God, is the very first sacrament that we celebrate. It begins our new life in Christ and leads us to the two other Sacraments of Christian Initiation. Through Baptism we are welcomed into the Church, freed from sin, and become children of God. Through water and the Spirit we are initiated, in the name of the Father, Son, and Holy Spirit, into the life of sanctifying grace—a participation in the very life of God. We are joined to Christ and become members of the Body of Christ and of the People of God—united with all others who have been baptized in Christ. We become Temples of the Holy Spirit and sharers in the priesthood of Christ.

While the Sacrament of Baptism is "the basis of the whole Christian life, the gateway to life in the Spirit...and the door which gives access to the other sacraments" (*CCC*, 1213), we know that the Sacrament of Confirmation "is necessary for the completion of baptismal grace" (*CCC*, 1285). In Confirmation we who have been baptized are sealed with the Gift of God the Holy Spirit. Our baptismal anointing is confirmed and completed. We become more able to live as Christ's disciples and witnesses, and our relationship with the Church is strengthened.

Through the Sacrament of the Eucharist we receive nourishment for everlasting life. By the Consecration at Mass the transubstantiation of the bread and wine into the Body and Blood of Christ is brought about by the power of the Holy Spirit. Like the first Apostles and disciples, we gather as a community to share the life of Jesus, and to become one with him and with one another. By sharing in the Eucharist, Jesus lives in us and we in him. He fills us with his word and joins us together as the Body of Christ, the Church. And each time we receive Christ in the Eucharist, the grace that we first received in Baptism grows in us—empowering us to live as Christ's faithful disciples.

A triptych is an artistic work consisting of three panels or sections hinged together. Triptychs were popular at the beginning of the Renaissance.

Use the panels to design a triptych for the Sacraments of Christian Initiation. In each panel or section, draw or describe a symbol for one of these three sacraments: Baptism, Confirmation, and Eucharist.

Conexión con el Catecismo

El *Catecismo de la Iglesia Católica* nos recuerda que: "Este crecimiento de la vida cristiana necesita ser alimentado por la comunión eucarística". (*CIC*, 1392)

La Iglesia nos anima fuertemente a prepararnos para comulgar cada vez que asistimos a la celebración de la Eucaristía. Comulgar con frecuencia nos ayuda a unirnos a Jesucristo y a la Iglesia. Al recibir el Cuerpo y la Sangre de Jesús con frecuencia, nuestra amistad con él se fortalece. Nuestro amor y respeto por Jesús y los demás continúa fortaleciéndose.

Trabaja con otro candidato para hacer una lista de posibles respuestas a esta pregunta: *¿Cuáles son algunas formas en que el Espíritu Santo está trabajando en tu parroquia hoy?*

____

____

____

En grupo comparen sus listas y añadan algo más juntos.

Evangelistas Juan y Lucas. *Manuscrito iluminado.* Etiopía, Gondar. Finales del siglo XVIII.

Escritura y Tradición

La Sagrada Escritura y la Sagrada Tradición forman un sólo depósito de la palabra de Dios. La *Sagrada Escritura*, llamada también la *Biblia*, es el registro escrito de la revelación de Dios. La Biblia tiene un autor divino y muchos escritores humanos. El Espíritu Santo guió a esos escritores por medio de la inspiración divina, lo que garantizó que escribieran sin error la verdad salvadora de Dios. La Biblia tiene setenta y tres libros. Está dividida en dos partes: el Antiguo Testamento y el Nuevo Testamento. En el Antiguo Testamento aprendemos sobre la relación de Dios con el pueblo de Israel y la promesa de Dios de un Mesías. El Nuevo Testamento contiene el cumplimiento de la promesa de Dios de un Mesías, la historia de Jesús, su misión, sus primeros seguidores y el inicio de la Iglesia.

Tradición es la transmisión viva de la buena nueva de Jesucristo como se vive en la Iglesia. La Tradición incluye las enseñanzas y prácticas trasmitidas oralmente desde los tiempos de Jesús y sus apóstoles. También incluye los credos, afirmaciones, de las creencias católicas.

Confirmación PyR

¿Cuáles son los sacramentos de iniciación cristiana?

Scripture and Tradition

Sacred Scripture and Sacred Tradition make up a single deposit of the Word of God. *Sacred Scripture*, also called the *Bible*, is the written record of God's Revelation. The Bible has a divine author, God, and many human writers. The Holy Spirit guided these writers through Divine Inspiration, which guaranteed that they wrote without error God's saving truth. The Bible contains seventy-three separate books. It is divided into two parts: the Old Testament and the New Testament. In the Old Testament we learn about God's relationship with the people of Israel and God's promise of a Messiah. The New Testament contains the fulfillment of God's promise of a Messiah—the story of Jesus, his mission, his first followers, and the beginning of the Church.

Tradition is the living transmission of the Good News of Jesus Christ as lived out in the Church. Tradition includes teachings and practices handed on orally from the time of Jesus and his Apostles. It also includes the creeds, or statements, of Christian beliefs.

Catechism Connection

The *Catechism of the Catholic Church* reminds us, "Growth in Christian life needs the nourishment of Eucharistic Communion" (CCC, 1392).

The Church strongly encourages us to prepare for and receive Holy Communion each time we participate in the celebration of the Eucharist. Frequent reception of Holy Communion helps us to unite with Jesus Christ and the Church. By receiving Jesus' Body and Blood often, our friendship with him deepens. Our love and respect for Jesus and others continues to grow stronger.

Work with another candidate to make a list of possible responses to this question: *What are some ways the Holy Spirit is at work in your parish today?*

____

____

____

As a group, compare your lists and add to them together.

Confirmation Q & A

What are the Sacraments of Christian Initiation?

Los sacramentos de iniciación cristiana nos llaman a la santidad.

No todos iniciamos o completamos nuestra iniciación en la Iglesia de la misma forma. Adultos y niños de edad catequética son bautizados de forma similar a como se hacía al inicio de la Iglesia. Después de un período de solicitud ellos son aceptados para la preparación de la celebración de los sacramentos de iniciación cristiana en un proceso de formación llamado *catecumenado*. Esto incluye oración y liturgia, instrucción religiosa basada en la Escritura y la Tradición y servicio comunitario. Los adultos y los niños mayores que entran en este período de formación son llamados *catecúmenos*.

Los catecúmenos participan en el rito de iniciación cristiana para adultos (RICA). Participan en celebraciones de oración que los introducen al significado de los sacramentos y la vida de la Iglesia. Ellos usualmente se unen a la asamblea para la Liturgia de la Palabra en sus parroquias durante la celebración dominical de la Eucaristía y ven el ejemplo de discipulado de los miembros de su comunidad. Toda la parroquia participa en la formación de la iniciación cristiana, por medio de las enseñanzas, la instrucción, la oración y la forma de vida.

Al final del período de formación, los catecúmenos reciben los tres sacramentos de iniciación cristiana en una celebración. Con frecuencia esta celebración de la iniciación de catecúmenos tiene lugar en la Vigilia Pascual. Muy apropiado ya que ahora, como parte de toda la Iglesia, ellos son llamados Eucaristía, el memorial de la pascua de Cristo—es el trabajo de salvación que él logró con su vida, muerte y resurrección.

En la Iglesia muchos son bautizados en la fe cuando son bebés. Sus padres, padrinos y toda la comunidad parroquial se comprometen a ayudar a los niños a crecer en la fe. Ellos también planifican y preparan a esos nuevos miembros de la Iglesia para celebrar los demás sacramentos de iniciación cristiana. Algunos niños reciben la Confirmación y la Eucaristía juntas. Otros celebrarán la Eucaristía primero, seguido de la Confirmación más tarde. Pero no importa el orden, una vez han recibido los tres sacramentos—Bautismo, Confirmación y Eucaristía—ellos están iniciados totalmente en Cristo y su Iglesia. Por medio de la iniciación en la Iglesia, cada miembro es llamado a una **vocación común** de santidad y a la misión de evangelizar el mundo.

The Sacraments of Christian Initiation call us to holiness.

Not every one of us begins or completes our initiation into the Church in the same manner. Adults and children of catechetical age are baptized in a way very similar to that practiced by the early Church. After a period of evangelization and introduction to the Gospel, they are welcomed to prepare for and celebrate the Sacraments of Christian Initiation in a process of formation called the *catechumenate*. This includes prayer and liturgy, religious instruction based on Scripture and Tradition, and service to others. The adults and older children who enter this period of formation are called *catechumens*.

Catechumens participate in the Rite of Christian Initiation of Adults (RCIA). They take part in prayer celebrations that introduce them to the meaning of the sacraments and the life of the Church. They usually join the assembly for the Liturgy of the Word in their parishes' Sunday celebration of the Eucharist. And they look to the members of the Church as their examples of discipleship. Thus, the whole parish has a part in their formation for Christian Initiation—through teaching, through instruction, through prayer, and through the way they live.

At the end of their period of formation the catechumens receive the three Sacraments of Christian Initiation in one celebration. Normally, this celebration of the catechumens' initiation into the Church takes place at the Easter Vigil. How appropriate, since now as part of the whole Church, they are called to the Eucharist, the memorial of Christ's Passover—that is the work of salvation which he achieved by his life, Death, and Resurrection.

In the Church many are also baptized into the faith as infants or very young children. Their parents, godparents, and the entire parish community agree to help these children grow in faith. They also plan for and prepare these new members of the Church to celebrate the remaining Sacraments of Christian Initiation. Some children will receive Confirmation and Eucharist together. Others will celebrate Eucharist first, followed by Confirmation at a later time. But no matter the order, once they have received these three sacraments—Baptism, Confirmation, and Eucharist—they are fully initiated into Christ and the Church. And through initiation into the Church, every member is called to a **common vocation** of holiness and to the mission of evangelizing the world.

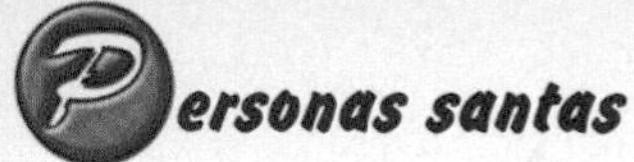

Personas santas

Beato Pere Tarres I Claret

Pere Tarres I Claret nació en 1905 en Manresa, España. Cuando niño le gustaba ayudar a las personas. Su sueño era ser médico. Mientras estudiaba medicina en Barcelona, guiaba su auto por las calles de la ciudad hablando sobre su fe católica. De médico fundó una clínica para los que no podían pagar cuidados médicos. En 1936, cuando empezó la Guerra Civil Española, Pere fue reclutado como médico por el ejército republicano. Aun cuando estaba rodeado de los horrores de la guerra, el don de fortaleza le infundió un avivamiento espiritual. Después de la guerra, Pere estudio para sacerdote y se ordenó a la edad de 37 años. Sirvió como sacerdote durante siete años cuando fue diagnosticado con cáncer linfático. Murió el 31 de agosto de 1950 en la clínica que había fundado.

Visita **www.inspiradosporelespiritu.com** para aprender más sobre el beato Pere Tarres I Claret.

Conexión con la liturgia

El Sábado Santo en la tarde, la Iglesia se reúne después de la puesta del sol para la celebración de la Vigilia Pascual. La Vigilia Pascual celebra la nueva vida que Jesús ha ganado para nosotros con su muerte y resurrección. La liturgia de la Vigilia Pascual tiene cuatro partes: el servicio de la luz, la Liturgia de la Palabra, la liturgia del Bautismo y la Liturgia de la Eucaristía. Durante esta vigilia los candidatos que han sido preparados para el rito de iniciación cristiana de adultos son bautizados, confirmados y reciben la Eucaristía por primera vez. Todos los miembros de la Iglesia presentes en la Vigilia Pascual son testigos y apoyan y dan la bienvenida a los nuevos iniciados miembros de la Iglesia.

Llamado a los Candidatos

Trabaja con otro candidato para contestar las siguientes preguntas: *¿Qué significa ser santo en el mundo de hoy? ¿A quién consideras ser un ejemplo de santidad? ¿Por qué?*

Confirmación PyR

¿Cuáles son los efectos de recibir los sacramentos de iniciación cristiana?

Calling All Candidates

Work with another candidate to answer the following: ***What does it mean to be holy in today's world? Whom do you consider to be an example of holiness? Why?***

Saints and Holy People

Blessed Pere Tarres I Claret

Pere (Peter) Tarres I Claret was born in 1905 in Manresa, Spain. As a child, Pere enjoyed helping people. His dream was to become a doctor. While studying medicine in Barcelona, he drove his car through the streets of the city talking about his Catholic faith. As a doctor, he founded a clinic for those who could not afford medical care. In 1936 when the Spanish Civil War began, Pere was drafted into the Republican Army as a doctor. Although he was surrounded by the horrors of war, the gift of fortitude infused a spiritual awakening within him. After the war, Pere studied to become a priest. He was ordained at the age of 37. He had served as a priest for seven years when he was diagnosed with lymphatic cancer. He died on August 31, 1950 in the medical clinic that he had established. Visit **www.inspiredbythespirit.com** to learn more about Blessed Pere Tarres I Claret.

Liturgy Connection

On Holy Saturday evening, the Church gathers after sunset for the celebration of the Easter Vigil. The Easter Vigil celebrates the new life Jesus has gained for us by his Death and Resurrection. The Easter Vigil liturgy has four parts: the Service of Light, the Liturgy of the Word, the Liturgy of Baptism, and the Liturgy of the Eucharist. During this vigil the candidates who have prepared through the Rite of Christian Initiation of Adults are baptized, confirmed, and receive the Eucharist for the first time. All members of the Church present at the Easter Vigil are witnesses who support and welcome these newly initiated members of the Church.

Confirmation Q & A

What are the effects of receiving the Sacraments of Christian Initiation?

El Espíritu Santo inspira la misión de evangelizar.

La misión de evangelizar el mundo es la misión de toda la Iglesia.

Como miembros de la Iglesia, cada uno de nosotros evangeliza cuando llevamos nuestra fe al mundo y el mundo a nuestra fe. **Evangelizamos** cuando compartimos la buena nueva de Jesucristo y el amor de Dios con todo el mundo, en cualquier circunstancia de la vida. La evangelización no es automática. Para evangelizar, debemos seguir la inspiración del Espíritu Santo, aprendiendo sobre nuestra fe y las enseñanzas de la Iglesia participando en la misa y en los sacramentos, viviendo la fe que queremos compartir. Así, guiados por el Espíritu podemos evangelizar al:

- hablar y actuar de una manera que refleje el amor de Dios
- contar a otros las cosas maravillosas que Cristo ha hecho
- mostrar, por medio de nuestras palabras y obras, lo que significa ser discípulo de Jesucristo
- compartir nuestra fe con los que no han escuchado el mensaje de Jesucristo
- animar a otros que ya creen en Jesucristo a continuar creciendo en la fe.

Con nuestra iniciación en la Iglesia por medio de los sacramentos del Bautismo, la Confirmación y la Eucaristía, somos asistidos por el Espíritu a vivir como la imagen de Dios en la que fuimos creados. Se nos permite vivir como ejemplos del amor de Dios para todos aquellos con quienes nos encontramos. Constituimos el cuerpo de Cristo en la tierra. Así vive Cristo: conforme la Iglesia muestra al mundo la bondad de sus miembros.

Los artistas como evangelizadores

A lo largo de la historia de la Iglesia, el arte, especialmente la pintura y los dibujos, siempre ha sido usado como oportunidad para los cristianos aprender y compartir la buena nueva de Jesucristo. Los primeros cristianos eran perseguidos y con frecuencia necesitaban esconderse. El símbolo del pez (o *icthus*) se convirtió en una forma de identificarse como creyente y en señal de los lugares de reunión de los primeros cristianos, conocidos como *catacumbas*. Murales que mostraban la imagen de Jesús como el buen pastor fueron dibujados por los primeros cristianos en las paredes de las catacumbas en la Roma antigua. Con el tiempo, hermosas piezas de arte en manuscritos iluminados en la Biblia expresaron el significado de la vida y el mensaje de Cristo. La Iglesia creció y también su arte. Durante el Renacimiento (1400–1600) el Vaticano, iglesias locales y ricos patronos, comisionaron a grandes artistas, tales como Miguel Angel, Leonardo da Vinci y Rafael. Ellos pintaron en lienzos y frescos en las paredes y moldearon esculturas que, no sólo contaron la historia de Dios, sino que también inspiraron la fe en quienes los veían. Estas obras de arte siguen inspirando y evangelizando hoy. Algunos ejemplos famosos son la Piedad de Miguel Angel, la Ultima Cena de da Vinci y la Madonna de Rafael.

En un discurso pronunciado a los artistas, en la capilla Sixtina, el papa Benedicto XVI dijo: "Con su arte, ustedes son los heraldos y testigos de la esperanza de la humanidad". (*Reunión con artistas* en 2009) ¿Conoces algún artista moderno que continúa la tradición de usar su *arte para evangelizar*?

Con un compañero, planifica un *app* para compartir la buena nueva de Jesucristo. Diseña un logo para tu app de "evangelización".

The Holy Spirit inspires the mission of evangelization.

The mission of evangelizing the world is the mission of the whole Church.

As members of the Church, each of us evangelizes when we bring our faith to the world and the world to our faith. We **evangelize** when we share the Good News of Jesus Christ and the love of God with all people, in every circumstance of life. But evangelization does not happen automatically. To evangelize, we must follow the inspiration of the Holy Spirit—learning about our faith and the teachings of the Church, participating in Mass and the sacraments, and living the faith that we want to share. Guided by the Spirit we can evangelize when we:

- speak and act in ways that reflect God's love
- tell others about the wonderful things that Christ has done
- show, through our words and actions, what it means to be a disciple of Jesus Christ
- share our faith with those who have not yet heard the message of Jesus Christ
- encourage others who already believe in Jesus Christ to continue to grow in their faith.

Through our initiation into the Church in the Sacraments of Baptism, Confirmation, and the Eucharist, we are assisted by the Spirit to live as the image of God in which we were created. We are enabled to live as examples of God's love for everyone we meet. We are built up as the Body of Christ on earth. And so Christ lives—as the Church shows to the world the goodness of her members!

Artist as Evangelizer

Throughout the history of the Church, the arts, especially painting and drawing, were used as opportunities for Christians to learn about and share the Good News of Jesus Christ. Early Christians faced persecution and often needed to be in hiding. The fish symbol (or *icthus*) became a way to identify oneself as a believer as well as being a signpost for early Christians' gathering places known as *catacombs*. Murals depicting Jesus as the Good Shepherd were drawn by early Christians on catacomb walls in ancient Rome. In time, the beautiful art pieces in illuminated manuscripts of the Bible expressed the meaning of Christ's life and message. As the Church grew, so did its art. During the Renaissance (1400–1600), the Vatican, local churches, and wealthy patrons commissioned great artists, such as Michelangelo, Leonardo da Vinci and Raphael. These artists painted on canvases and crafted frescoes on walls and molded sculptures that not only told the story of God but also inspired the viewers with faith. These masterpieces are still inspiring and evangelizing today. Some famous examples are the Pietà by Michelangelo, the Last Supper by da Vinci and the Sistine Madonna by Raphael.

In a speech to artists given in the Sistine Chapel, Pope Benedict XVI said, "Through your art, you yourselves are to be heralds and witnesses of hope for humanity!" (*Meeting with Artists*, 2009) Do you know of any modern artists who are continuing the tradition of *artist as evangelizer*?

Work together to plan an app about sharing the Good News of Jesus Christ. Design a logo for your "evangelization" app.

Símbolos del Espíritu Santo: Paloma

Mira la ilustración en las páginas 52–53. La imagen de una paloma generalmente se asocia con la paz, porque es símbolo del Espíritu Santo. Una paloma se apareció en el bautismo de Jesús. Cuando él salió del agua: "Se abrieron los cielos y vio al Espíritu de Dios que bajaba como una paloma y descendía sobre él" (Mateo 3:16). En la iglesia, la escuela o en la casa mira cualquier ejemplo donde puedas encontrar una paloma como símbolo del Espíritu Santo.

Symbols of the Holy Spirit: Dove

Look back to the picture on page 52–53. The image of a dove is usually associated with the idea of peace, because it is a symbol of the Holy Spirit. A dove appeared after Jesus' baptism. When he came up from the water, "the heavens were opened, and he saw the Spirit of God descending like a dove coming upon him" (Matthew 3:16). In church, in school, or at home note any examples where you find the dove used as a symbol of the Holy Spirit.

Confirmation Q & A

What is the mission of the Church?

Oración

Todos: En el nombre del Padre, y del Hijo,
y del Espíritu Santo. Amén.

Líder: Ven Espíritu Santo, Espíritu de paz.
Inspíranos y llena nuestros corazones con paz,
mientras aprendemos más sobre nuestra misión
de llevar nuestra fe al mundo.

Todos: Espíritu de Dios, desciende sobre nosotros.

Lector: Lectura del Evangelio de Juan.
"Pero el consolador, el Espíritu Santo, a quien el Padre enviará en mi nombre, hará que recuerden lo que yo les he enseñado y les explicará todo. Les dejo la paz, mi paz les doy. Una paz que el mundo no les puede dar. No se inquieten ni tengan miedo". (Juan 14:26–27)

Palabra del Señor.

Todos: Gloria a ti Señor, Jesús.

Candidato 1: Espíritu Santo, calma nuestros miedos y trae paz a nuestros corazones mientras crecemos en nuestra fe y la practicamos.

Todos: Espíritu de Dios, desciende sobre nosotros.

Candidato 2: Espíritu Santo, guíanos mientras respondemos al llamado de santidad. Llena nuestros corazones con tu espíritu de paz.

Todos: Espíritu de Dios, desciende sobre nosotros.

Candidato 3: Espíritu Santo, inspíranos mientras vivimos nuestras vidas como ejemplo del amor y la paz de Dios en todas circunstancias.

Todos: Espíritu de Dios, desciende sobre nosotros.
Llénanos de amor por Dios y los demás.
Amén.

Let Us Pray

All: In the name of the Father, and of the Son,
and of the Holy Spirit. Amen.

Leader: Come to us, O Spirit of peace.
Inspire us and fill our hearts with peace,
as we learn more about our mission
to bring our faith to the world.

All: Spirit of God, descend upon us.

Reader: A reading from the holy Gospel according to John.
"The Advocate, the holy Spirit that the Father will send in my name—he will teach you everything and remind you of all that [I] told you. Peace I leave with you; my peace I give to you. Not as the world gives do I give it to you. Do not let your hearts be troubled or afraid" (John 14:26–27).

The Gospel of the Lord.

All: Praise to you, Lord Jesus Christ.

Candidate 1: Holy Spirit, calm our fears and bring peace in our hearts as we grow in and practice our faith.

All: Spirit of God, descend upon us.

Candidate 2: Holy Spirit, guide us as we answer the call to holiness. Fill our hearts with your Spirit of peace.

All: Spirit of God, descend upon us.

Candidate 3: Holy Spirit, inspire us as we live our lives as examples of God's love and peace with all people and in every circumstance of life.

All: Spirit of God, descend upon us.
Fill us with love for God and others.
Amen.

Enviado

FAMILIA

Las familias tienen formas de preservar lo que es importante para ellas.

- ¿Cuáles son algunas de las tradiciones religiosas de tu familia? **Haz una lista aquí:**

  ____

  ____

- ¿Cuáles son algunas de las tradiciones culturales de tu familia? **Haz una lista aquí:**

  ____

  ____

- **Haz un plan que te ayude a preservar esas costumbres y tradiciones.**

  ____

  ____

PADRINOS

Adorar es alabar y dar gracias a Dios. Los católicos se reúnen para adorar a Dios cada semana en la misa.

- Trabaja con tu padrino o madrina para hacer una lista de cosas específicas por las que puedes dar gracias. **Haz una lista aquí:**

  ____

  ____

- **Conversa sobre las similitudes y diferencias de esas listas:**

  ____

  ____

Esta semana toma un momento durante la misa para pensar sobre tu lista y dar gracias.

COMUNIDAD

Considera tomar tiempo para voluntariamente ayudar a niños más pequeños a aprender algunas oraciones tradicionales de la Iglesia. Habla con la escuela o la oficina de educación religiosa de la parroquia para ver si hay posibilidad de hacer trabajo voluntario y hacer un horario para visitar los niños de kinder o preescolar y enseñarles la señal de la cruz, el Padrenuestro y el Ave María.

¿Cómo puedo participar activamente en mi comunidad parroquial?

Go Forth

FAMILY

Families have ways of preserving what is important to them.

- What are your family's religious traditions? **List them here:**

____

____

- What are your family's cultural traditions? **List them here:**

____

____

- **Make a plan to help preserve these customs and traditions.**

____

____

SPONSOR

Worship is giving God thanks and praise. Catholics gather together to worship God each week at Mass.

- Work with your sponsor to make a list of particular things you are each thankful for. **List them here:**

____

____

- **Discuss the similarities and differences of these lists:**

____

____

This week, take a moment during Mass to think about your list and give thanks.

COMMUNITY

Consider volunteering your time to help younger children learn some of the Church's traditional prayers. Contact the school or parish religious education office to find opportunities for volunteering and to schedule a visit with a Kindergarten or Pre-Kindergarten class to teach the children to pray the Sign of the Cross, the Lord's Prayer, or the Hail Mary.

How can I actively participate in my parish community?

____

Candidato, iniciaste tu relación con Jesucristo con tu bautismo. Considera este tiempo de preparación para la Confirmación como un tiempo de crecimiento para acercarte a Jesús, para fortalecer tu relación con él. Una de las formas en que puedes hacer esto es leyendo sobre la vida y las enseñanzas de Jesús en la Escritura.

Escoge un aspecto de la vida y las enseñanzas de Jesús: sus parábolas, sus milagros, etc. Una vez que hayas escogido completa el cuadro que se encuentra a la derecha. Considera lo que ya *sabes* sobre Jesús y lo que *quieres saber* sobre Jesús. Conversa con tu padrino, tu familia y otros candidatos sobre las preguntas que tienes. Durante tu preparación para la Confirmación, regresa a este cuadro y completa la tercera columna con información que has *aprendido* durante tu preparación para este sacramento.

Lo que sé	Lo que quiero saber	Lo que he aprendido

Reza al Espíritu Santo mientras sigues aprendiendo sobre Jesucristo y te preparas para ser sellado con su Espíritu en la Confirmación.

CHAPTER 4

Preparing to Live a New Commitment

"No one can enter the kingdom of God without being born of water and Spirit."

John 3:5

Candidate, you began your relationship with Jesus Christ at your Baptism. Consider this time of preparation for Confirmation as a time to grow closer to Jesus, to deepen your relationship with him. One of the ways you can do this is by reading about Jesus' life and teachings in Scripture.

Choose one aspect of Jesus' life and teachings: his parables, his miracles, etc. Once you have chosen something, fill in the chart. Consider what you already *know* about Jesus and what you *want to know* about Jesus. Talk to your sponsor, your family, or other candidates about the questions you have. Throughout your preparation for Confirmation, return to this chart and complete the third column with information you have *learned* as you prepared for this sacrament.

What I Know	What I Want to Know	What I Learned

Pray to the Holy Spirit as you continue to learn about Jesus Christ and prepare to be sealed with his Spirit in Confirmation.

La Confirmación profundiza la gracia del Bautismo.

Todo bautizado miembro de la Iglesia es llamado a recibir el sacramento de la Confirmación. Algunos miembros, después de participar como catecúmenos en el proceso de formación, pueden ser confirmados cuando son adultos, adolescentes o niños mayores. (Ver capítulo 3)

Otros miembros han recibido el Bautismo cuando bebés o muy pequeños, se preparan y celebran el sacramento de la Confirmación en sus comunidades parroquiales. Esto generalmente tiene lugar cuando tienen entre siete y dieciséis años. Un **obispo**, un sucesor de los apóstoles, generalmente celebra la Confirmación. Su administración de la Confirmación une más fuertemente a los que reciben el sacramento a la Iglesia y su inicio apostólico. Generalmente el obispo visita cada parroquia, o grupo de parroquias, y celebra el sacramento de la Confirmación con la comunidad de fe. Como la comunidad de fe es alimentada por Cristo mismo en la celebración de la Eucaristía, la Confirmación generalmente se celebra dentro de una misa. Durante esa misa—entre la Liturgia de la Palabra y la Liturgia de la Eucaristía—el obispo confiere el sacramento de la Confirmación a todos los que se han preparado para celebrarlo.

Los que se están preparando para la confirmación son llamados candidatos. Su preparación para la Confirmación es muy importante. La relación con Cristo, que empezaron con el Bautismo, es fortalecida por medio de la preparación para la Confirmación. Durante ese tiempo de aprendizaje, oración y reflexión, los candidatos piensan más profundamente en la vida de Jesucristo, la misión de la Iglesia y el don de Dios del Espíritu Santo. Como los candidatos dan este paso hacia la plena iniciación en la Iglesia, la comunidad parroquial se reúne para expresar su fe en Jesucristo y apoyar a los candidatos en su compromiso con Cristo y la Iglesia.

Lectio divina

Lectio divina es una frase en latín que significa "lectura divina". *Lectio divina* es una forma de rezar con la Escritura *leyendo, meditando, orando, contemplando* y *decidiendo*. Por ejemplo:

- *Leer* un pasaje de la Escritura. Mientras se lee se reflexiona, notando las partes del texto que llaman la atención.
- *Meditar* en la lectura mientras se lee de nuevo. Meditar es tratar de entender lo que Dios está revelando, quizás imaginando ser parte de la historia o la escena, o hablando con Dios en silencio sobre lo que se ha leído.
- *Rezar* a Dios hablando de lo que hay en el corazón.
- *Contemplar* escogiendo una palabra, frase o imagen del pasaje leído centrándose con todo el corazón y la mente, sintiendo el gran amor de Dios por nosotros.
- *Decidir* responder a lo que se leyó y actuar en consecuencia.

Trata de rezar de esta forma durante tu preparación para la Confirmación. Escoge un pasaje bíblico de los presentados en este libro o uno sugerido por tu padrino o catequista.

Confirmation deepens baptismal grace.

Every baptized member of the Church is called to receive the Sacrament of Confirmation. Some members, after participating as catechumens in the formation process, may be confirmed as adults, adolescents, or older children (see chapter 3).

Other members who have received Baptism as infants or very young children, prepare for and celebrate the Sacrament of Confirmation in their parish communities. This usually takes place when they are between the ages of seven and sixteen. A **bishop**, a successor of the Apostles, is the usual minister of Confirmation. His administration of Confirmation unites those who receive the sacrament more closely to the Church and her apostolic beginnings. Thus, a bishop usually visits each parish, or group of parishes, and celebrates the Sacrament of Confirmation with the faith community. Since it is in the Eucharistic celebration that members of the Church are nourished by Jesus Christ himself, Confirmation is most often celebrated within Mass. And it is during this Mass—after the Liturgy of the Word—that the bishop confers the Sacrament of Confirmation on all those who have prepared for this sacrament.

You are now preparing for Confirmation. Your preparation for Confirmation is very important. Your relationship with Christ, which began at Baptism, is strengthened through your preparation for Confirmation. During this time of learning and prayer, you reflect on the life of Jesus Christ, the mission of the Church, and God's Gift of the Holy Spirit. And as you take this step towards full initiation into the Church, the parish community gathers to express its belief in Jesus Christ and to supports you in your commitment to Christ and the Church!

Lectio Divina

Lectio divina is a Latin term meaning "divine reading." *Lectio divina* is a way of praying with Scripture by *reading*, *meditating*, *praying*, *contemplating*, and *deciding*. For example:

- *Read* a Scripture passage. As you read, reflect, noticing parts of the text that stand out to you.

- *Meditate* on the same reading as you read it again. To meditate is to try to understand what God is revealing, perhaps by imagining that you are part of the story or scene, or by silently talking to God about what you have read.

- *Pray* to God, speaking what is in your heart.

- *Contemplate* by choosing a word, phrase, or image from the Scripture passage, focusing on it with whole heart and mind, and feeling God's great love for you.

- *Decide* on a way to respond to what you have read, and act on it.

Try praying this way during your preparation for Confirmation. Choose a Scripture passage found in this book, or one suggested by your sponsor or your teacher.

Personas santas

María, madre de Dios

Dios escogió a María para ser la madre del Salvador. Por el poder del Espíritu Santo, María dio a luz a Jesús y dedicó su vida a él. María fue la primera discípula de Jesús. Ella escuchó la buena nueva del amor de Dios en el mundo y actuó en consecuencia. Ella estuvo presente en la crucifixión de Jesús. Después de la muerte y resurrección de Jesús, María se quedó con los demás discípulos para continuar el trabajo de Jesús. En Pentecostés ella rezó con los discípulos mientras esperaban por la venida del Espíritu Santo.

María es un modelo de santidad confiable. La Iglesia reconoce a María como la más importante entre los santos. Aprende más sobre María visitando *Vidas de santos* en: **www.inspiradosporelespriritu.com**.

Reza un Ave María, una de las oraciones más conocidas de la Iglesia en honor a María.

Llamado a los Candidatos

Haz una lista de diez razones para orar.

10. ____________________

9. ____________________

8. ____________________

7. ____________________

6. ____________________

5. ____________________

4. ____________________

3. ____________________

2. ____________________

1. ____________________

¿Cuál de estas razones es más importante para ti? ¿Por qué?

Confirmación PyR

Confirmación

¿Por qué generalmente el obispo es el celebrante de la Confirmación?

Calling All Candidates

Make a list of ten reasons to pray.

10. ____________________

9. ____________________

8. ____________________

7. ____________________

6. ____________________

5. ____________________

4. ____________________

3. ____________________

2. ____________________

1. ____________________

Which reason is most important to you today? Why?

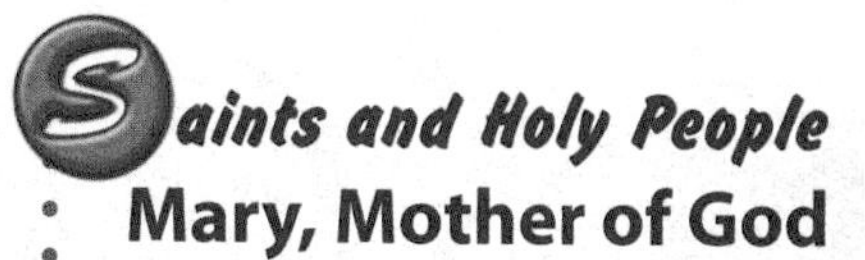

Saints and Holy People

Mary, Mother of God

God chose Mary to be the Mother of the Savior. By the power of the Holy Spirit, Mary gave birth to Jesus and dedicated her life to him. Mary is Jesus' first disciple. She heard the Good News of God's love in the world and acted on it. She was present at Jesus' Crucifixion. After Jesus' Death and Resurrection, Mary stayed with the other disciples to continue Jesus' work. On Pentecost, she prayed with the disciples as they waited for the coming of the Holy Spirit.

Mary is a true model of holiness. The Church acknowledges Mary as the greatest saint. Learn more about Mary by visiting *Lives of the Saints* on **www.inspiredbythespirit.com.**

Pray the Hail Mary, one of the Church's best-known prayers in honor of Mary.

Confirmation Q & A

Why is a bishop the usual celebrant of Confirmation?

La Confirmación une a la comunidad parroquial.

Toda la comunidad parroquial participa en la preparación para el sacramento de la Confirmación. Todos los feligreses comparten en la responsabilidad de preparar a los candidatos para la Confirmación. Algunos son parte directa de la preparación de los candidatos. Ellos les enseñan sobre la fe católica y el sacramento que van a recibir. Ayudan a los candidatos a prepararse para recibir el Espíritu Santo animándolos a hacer buenas obras. Toda la comunidad parroquial reza con y por los candidatos. Algunas personas en la parroquia puede que se reúnan con los candidatos para hablar de su fe y otros ayudan a los candidatos a encontrar formas de ayudar a otros en la parroquia, en la comunidad local y en el mundo. Todos en la parroquia son llamados a ser ejemplos de discipulado cristiano y estar abiertos al Espíritu.

Por medio de la instrucción que los candidatos reciben en su preparación para la Confirmación, descubren el significado de ser ungido con santo crisma y son llevados a ver como esta unción cambiará sus vidas. Aprenden que la Confirmación completará su Bautismo. Con el apoyo de los miembros de la Iglesia, los candidatos viven un gran sentido de "pertenecer" a la Iglesia. Por medio del ejemplo de la vida de los miembros, los candidatos profundizan el sentido de su propio llamado a la misión de la Iglesia.

El *Catecismo de la Iglesia Católica* expresa que la Confirmación debe llevar a los candidatos a: "Asumir mejor las responsabilidades apostólicas de la vida cristiana" (*CIC*, 1309). Así, hacer el trabajo apostólico con la comunidad de fe es otro aspecto importante de la preparación para el sacramento de la Confirmación. Ese trabajo de servicio es signo del compromiso que los candidatos a la Confirmación hacen para ser testigos de Cristo en su vida diaria.

¿Cómo apoya tu parroquia tu jornada de fe? ¿Cómo ayudas a otros feligreses a crecer en la fe?

Confirmation unifies the parish community.

The entire parish community participates in the Sacrament of Confirmation. Every parish member shares in the responsibility of preparing the candidates for Confirmation. Some members are part of the direct preparation of the candidates. They teach them more about the Catholic faith and the sacrament the candidates are about to receive. They help the candidates to prepare themselves for the outpouring of the Holy Spirit by encouraging them to do good works. The whole parish community prays with and for the candidates. Some people in the parish may meet with candidates to talk about their faith, and some may help the candidates to find meaningful ways to serve other people in the parish, in the local community, and in the world. All of the people in the parish are called on to be examples of Christian discipleship and openness to the Spirit.

Through the instruction the candidates receive in their Confirmation preparation, they discover what it means to be anointed with Sacred Chrism and are led to see how this anointing will change their lives. They learn that Confirmation will complete their Baptism. Then through the support of Church members, the candidates experience a greater sense of "belonging to" the Church. And through the example of the members' lives, the candidates grow to a deeper sense of their own call to the mission of the Church.

The *Catechism of the Catholic Church* notes that Confirmation preparation should lead you "to be more capable of assuming the apostolic responsibilities of Christian life" (*CCC*, 1309). Thus, the performance of works of service with the faith community is another important aspect of your preparation for the Sacrament of Confirmation. These works of service are a sign of the commitment that you are making to witness to Christ in your daily life.

How does your parish support your faith journey? How do you help other parishioners grow in faith?

____

____

Personas santas

San Vincente de Paúl

San Vicente de Paúl nació en Gascuña, Francia, en 1581, en una familia de pobres campesinos. Cuando muchacho, Vicente pasó mucho tiempo trabajando en el campo. De adolescente recibió una educación con los padres franciscanos y empezó a estudiar para el sacerdocio. Se ordenó sacerdote a la edad de 20 años. Sirvió como sacerdote en una parroquia cerca de París donde empezó organizaciones para ayudar a los pobres, cuidar de los enfermos y buscar empleos a los desempleados. En 1625 empezó la fundación de una congregación, que se convirtió en la Congregación de Sacerdotes de la Misión, o Lazaristas.

La vida de san Vicente fue un excelente ejemplo de como usar los dones y los frutos del Espíritu Santo para el bien de los demás. El mostró caridad a todo el mundo. La Iglesia reconoce a san Vicente de Paúl como el patrón de las sociedades caritativas. Visita *Vidas de santos* en: **www.inspiradosporelespiritu.con** para encontrar más información sobre su vida y trabajo de servicio.

¿Cómo puedes seguir el ejemplo de san Vicente y hacer de la caridad una parte importante en tu vida diaria?

Apostolado

Una parte importante en la preparación para la celebración del sacramento de la Confirmación es hacer apostolado. Hacer eso muestra nuestro compromiso de seguir a Cristo imitando su preocupación por los demás, sino que también nos prepara para una vida de compasión y preocupación que es parte esencial del discípulo cristiano.

Los candidatos a la Confirmación aprenden más sobre los dones particulares que poseen para compartirlos con otros y usarlos para servir. Las obras de servicio tienen lugar en la parroquia en diferentes programas y eventos que apoyan el ministerio de la Iglesia. Los candidatos a la Confirmación pueden involucrarse en recoger artículos para una cocina popular, ayudar en las clases de religión, visitar asilos o ayudar en los festivales y eventos de la parroquia.

Las obras de apostolado también pueden tener lugar en la casa o la comunidad local. Recoger las hojas del patio de un vecino anciano, cuidar a un hermano menor o limpiar el parque municipal son ejemplos de servicio. Cada uno es una forma de demostrar nuestro amor a Dios y nuestro compromiso de vivir como discípulos de Cristo.

Busca formas en que tu parroquia ofrece obras de apostolado para apoyar el ministerio de la Iglesia.

Confirmación PyR

¿Qué significa hacer obras de apostolado?

Christian Service

An important part of preparing to celebrate the Sacrament of Confirmation is performing works of service. Doing so not only shows commitment to following Christ by imitating his concern for others, but it also prepares us for a lifetime of compassion and caring that is an essential part of Christian discipleship.

Confirmation candidates learn more about the particular gifts they have to share with others and use those gifts in service. Works of service can take place in the parish through programs and events that support the ministry of the Church. Confirmation candidates might be involved in collecting items for a food bank, serving as aides in catechetical classes for children, visiting a nursing home, or assisting with a parish festival or other special event.

Works of service can also take place in the home or the local community. Raking the leaves in the yard of an elderly neighbor, providing babysitting for a younger brother or sister, or volunteering for a park clean-up or the local Humane Society are all examples of such service. Each is a way to demonstrate our love for God, and our commitment to living as disciples of Christ.

Find out ways your parish offers works of service to support the ministry of the Church.

Saints and Holy People

Saint Vincent de Paul

Vincent de Paul was born in Gascony, France in 1581 to a poor peasant family. As a boy, Vincent spent much of his time working in the fields. As a teenager, he received an education from the Franciscan Fathers and began to train for the priesthood. He was ordained a priest at the age of 20. He served as a parish priest near Paris where he started organizations to help the poor, nurse the sick, and find jobs for the unemployed. In 1625, he began the foundation of a congregation, which became the Congregation of Priests of the Mission, or Lazarists.

Saint Vincent's life was an excellent example of how to use the gifts and the fruits of the Holy Spirit for the good of others. He showed charity to everyone he met. The Church recognizes Saint Vincent de Paul as the patron saint of charitable societies. Visit *Lives of the Saints* featured on **www.inspiredbythespirit.com** to find out more about his life and works of service.

How can you follow Saint Vincent's example and make charity an important part of your daily life?

Confirmation Q & A

What does performing works of service signify?

La preparación para la Confirmación nos prepara para la totalidad del Espíritu.

En el Bautismo, el sacerdote, o el diácono, nos llama por nuestro nombre cristiano, bautizándonos con el agua de salvación, en el nombre del Padre, y del Hijo, y del Espíritu Santo. En el Bautismo somos llenados con la vida de Dios. Nos hacemos miembros de la Iglesia. En nuestro bautismo nuestros padrinos toman la responsabilidad de apoyarnos en nuestra fe toda la vida.

Simbólico de la relación bautismal, los candidatos a la Confirmación escogen un *nombre* y un *padrino* o *madrina*, que los apoye en su peregrinaje hacia la iniciación total en la Iglesia. El *nombre de confirmación* que escoge el candidato generalmente es el de un santo cuyo ejemplo puede seguir. A pesar de que se puede escoger el nombre de cualquier santo, se anima a los candidatos a escoger su nombre de bautismo. Esto destaca el lazo entre los sacramentos del Bautismo y la Confirmación.

Los padrinos juegan un papel importante en la celebración de la Confirmación. No sólo ofrecen apoyo especial a los candidatos sino que durante la celebración de la Confirmación presentan los candidatos al obispo para que este los unja. Así cuando un candidato elige un padrino para la Confirmación, debe buscar a alguien que pueda involucrarse en la preparación para el sacramento, estar preparado a dar valor al candidato para dar este importante paso hacia un compromiso de fe mas profundo y comprometerse a la responsabilidad de continuamente ayudar al candidato a crecer en la fe.

Un **padrino** o **madrina** necesita ser católico, mayor de 16 años y que haya celebrado los sacramentos de iniciación cristiana, gozar del respeto y confianza del candidato y ser ejemplo de vida cristiana. Para poner énfasis en el lazo entre el Bautismo y la Confirmación se anima a los candidatos a seleccionar uno de sus padrinos de bautismo para padrino de la Confirmación. Sin embargo, los candidatos pueden escoger a un amigo, a alguien de la parroquia, o a un familiar que no sea sus padres.

Los candidatos a la Confirmación deben de estar en **estado de gracia** para estar abiertos plenamente a los efectos del sacramento. Esto significa que deben estar libre de pecados mortales y llenos con el don de la gracia de Dios. Es en el **sacramento de la Reconciliación** que Jesús perdona a los que están verdaderamente arrepentidos, llenándolos una vez más de gracia, la vida misma de Dios. La preparación para la Confirmación incluye la celebración del sacramento de la Reconciliación: "Para ser purificado en atención al don del Espíritu Santo". (*CIC*, 1310)

Trabaja con otros candidatos para hacer una lista de cualidades importantes para ti para escoger tu padrino o madrina.

Confirmation preparation readies us for the fullness of the Spirit.

At Baptism, the priest or deacon, calling each of us by our Christian name, baptized us with the water of salvation—in the name of the Father, and of the Son, and of the Holy Spirit. At Baptism we were filled with God's life. We were made members of the Church. And at our Baptism, our godparents took on the lifelong responsibility of supporting us in our faith.

Symbolic of the baptismal connection, candidates for Confirmation choose a *name* and someone to *sponsor*, or support, them as they take the step toward full initiation into the Church. The *Confirmation name* that is chosen by the candidate is usually that of a saint whose example he or she can follow. And although the name of any saint can be chosen, candidates are encouraged to take their baptismal names. This highlights the link between the Sacraments of Baptism and Confirmation.

Sponsors play an important role in the celebration of Confirmation. Not only are they to offer special support to the candidates, during the celebration of Confirmation the sponsors will also present the candidates to the bishop for anointing. So when selecting a sponsor for Confirmation, a candidate should be looking for someone who can be involved in the preparation for the sacrament, be prepared to encourage the candidate to take this important step towards deeper faith commitment, and commit to the responsibility of continually helping the candidate to grow in faith.

A **sponsor** needs to be a practicing Catholic who is at least 16 years of age and who has received the Sacraments of Christian Initiation, is respected and trusted by the candidate, and is an example of Christian living. To emphasize the link between Baptism and Confirmation, candidates are encouraged to select one of their godparents as a sponsor. However, candidates may choose a friend, someone from the parish, or a relative other than a parent.

Candidates for Confirmation must be in the **state of grace** in order to be fully open to the effects of the sacrament. This means that they should be free of serious sin and filled with the gift of God's grace. It is in the **Sacrament of Penance** that Jesus forgives those who are truly sorry, filling them once more with grace—God's own life. So preparation for Confirmation includes the reception of the Sacrament of Penance, "in order to be cleansed for the gift of the Holy Spirit" (*CCC*, 1310).

Work with other candidates to compile a list of qualities that were important to you as you chose your sponsor.

Conexión con el Catecismo

El *Catecismo de la Iglesia Católica* afirma que: "Los candidatos busquen la ayuda espiritual de un padrino o de una madrina. Conviene que sea el mismo para el Bautismo, a fin de subrayar la unidad entre los dos sacramentos". (*CIC*, 1311)

Piensa en tus padrinos de Confirmación. Hayas escogido uno de ellos o no para ser tu padrino de Confirmación, si están disponibles, puedes incluirlos en tu preparación y celebración de la Confirmación.

Conexión con la liturgia

El sacramento de la Penitencia y Reconciliación es el sacramento por medio del cual nuestra relación con Dios y la Iglesia se fortalece y restaura. En este sacramento el sacerdote, en nombre de Cristo y la Iglesia y por medio del poder del Espíritu Santo nos otorga el perdón de los pecados. Somos llamados a celebrar con frecuencia el sacramento de la Reconciliación, expresando arrepentimiento de nuestros pecados y el firme propósito de no pecar más. Hacer esto nos da la paz y el consuelo que viene de reconciliarse con Dios y la Iglesia. Investiga cuando la parroquia celebra el sacramento de la Penitencia. Planifica asistir para celebrarlo frecuentemente.

Llamado a los Candidatos

Por nuestro bautismo somos llamados a ser santos. La palabra *santo* significa "alguien que es santificado". Santos son seguidores de Cristo que vivieron vidas de santidad en la tierra y ahora comparten la vida eterna con Dios en el cielo. Por los ejemplos de las vidas de los santos podemos aprender como amar a Dios, a nosotros mismos y a los demás. Podemos aprender como ser discípulos de Jesús como lo fueron ellos.

- **¿Es tu nombre el de un santo?**
- **¿Tienes un santo patrón?**
- **¿Tiene tu escuela o parroquia un santo patrón?**

Aprende más nombre la vida de los santos. Comparte lo que aprendas con tu familia.

Confirmación PyR

¿Por qué es importante celebrar el sacramento de la Reconciliación antes de la Confirmación?

Calling All Candidates

By our Baptism, we are all called to be saints. The word *saint* means "one who is made holy." Saints are followers of Christ who lived lives of holiness on earth and now share in eternal life with God in Heaven. From the examples of the saints' lives we can learn ways to love God, ourselves, and others. We can learn how to be disciples of Jesus, as they were.

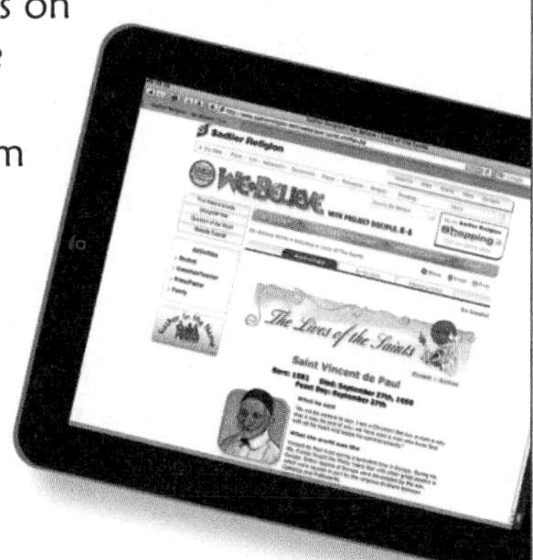

- **Were you named after a saint?**
- **Do you have a patron saint?**
- **Does your parish or school have a patron saint?**

Learn more about the lives of these saints. Share your findings with your family.

Catechism Connection

The *Catechism of the Catholic Church* states, "Candidates for Confirmation, as for Baptism, fittingly seek the spiritual help of a *sponsor*. To emphasize the unity of the two sacraments, it is appropriate that this be one of the baptismal godparents" (*CCC*, 1311).

Think about your godparent(s). Whether or not you have chosen one of them as your sponsor, if they are available, you may want to include them in your preparation and celebration of Confirmation.

Liturgy Connection

The Sacrament of Penance and Reconciliation is the sacrament by which our relationship with God and the Church is strengthened and restored. In this sacrament, the priest, in the name of Christ and the Church, and through the power of the Holy Spirit, grants forgiveness of our sins. We are called to participate in the Sacrament of Penance often, expressing sorrow for our sins and the firm purpose of sinning no more. Doing this gives us the peace and comfort that comes from being reconciled to God and the Church. Find out when and where your parish celebrates the Sacrament of Penance. Plan to attend and to celebrate this sacrament frequently.

Confirmation Q & A

Why is it important to receive the Sacrament of Penance before Confirmation?

El Espíritu Santo nos prepara para continuar la misión de Cristo.

Desde el evento de Pentecostés, todos los discípulos de Cristo han sido guiados por el Espíritu para servir a Dios y servirse unos a otros por medio de vidas de amor y servicio en la Iglesia. Llenos de los dones del Espíritu Santo, los discípulos de Jesús han mostrado a otros el gozo del reino de Dios, un reino de: "Paz y alegría que procede del Espíritu Santo" (Romanos 14:17). Respondiendo al Espíritu Santo, usan los dones que han recibido de él.

Recibimos los dones especiales del Espíritu Santo por primera vez en el Bautismo. Esos **dones del Espíritu** Santo son: sabiduría, inteligencia, consejo, fortaleza, ciencia, piedad y temor de Dios. Estos dones del Espíritu Santo nos preparan para seguir la inspiración del Espíritu. El incorporar estos dones en nuestras vidas nos ayuda a seguir las enseñanzas de Cristo y a dar testimonio de nuestra fe.

Cuando nuestro bautismo es completado con el sacramento de la Confirmación, recibimos un derrame especial del Espíritu Santo. Aumentan en nosotros los siete dones del Espíritu Santo. Por medio de estos dones especiales, el Espíritu Santo trabaja en nosotros para perfeccionarnos.

El trabajo del Espíritu se evidencia en nuestras vidas como: "caridad, gozo, paz, paciencia, longanimidad, bondad, benignidad, mansedumbre, fidelidad, modestia, continencia, castidad" (*CIC*, 1832). Estas doce virtudes las personas las ven en nosotros cuando respondemos a los dones del Espíritu Santo y son conocidas como **frutos del Espíritu Santo**. Con la ayuda del Espíritu Santo en nuestras vidas, podemos mostrar continuamente esas virtudes. Podemos llevar a otros al amor de Dios por medio del ejemplo de nuestras vidas cristianas y así construir el reino de Dios en la tierra.

Igual que los apóstoles en Pentecostés, por la efusión del Espíritu Santo, "Se deduce que es el efecto del sacramento" (*CIC*, 1302), aumenta la gracia que recibimos en nuestro bautismo. Nos centramos más en Dios, nuestro Padre, y nos unimos más firmemente a Cristo. Recibimos y aumentan los dones del Espíritu Santo y se fortalece nuestro lazo con la Iglesia. Como cristianos confirmados recibimos del Espíritu Santo el valor de predicar y defender la fe con nuestras palabras y obras. Verdaderamente nos hacemos fieles testigos de Jesucristo, dispuestos a proclamar su nombre.

The Holy Spirit equips us to carry on the mission of Jesus Christ.

Ever since the Pentecost event, all of Christ's disciples have been guided by the Spirit to serve God and one another through lives of love and service in the Church. Filled with the gifts of the Holy Spirit, disciples of Jesus have shown others the joy of God's Kingdom—a kingdom of "righteousness, peace, and joy in the holy Spirit" (Romans 14:17). Responding to the Holy Spirit, they have used the gifts that they have received from him.

We first received the Holy Spirit's special gifts at Baptism. These **gifts of the Holy Spirit** are: wisdom, understanding, counsel, fortitude, knowledge, piety, and fear of the Lord. These gifts of the Holy Spirit make us ready to follow the Spirit's inspiration. Incorporating these gifts into our lives helps us to follow Christ's teachings and to give witness to our faith.

When our Baptism is completed through the Sacrament of Confirmation, we receive a special outpouring of the Holy Spirit. And the seven gifts of the Holy Spirit are increased in us. Through these special gifts, the Holy Spirit works in us to make us more perfect. The Spirit's work is evidenced in our lives as "charity, joy, peace, patience, kindness, goodness, generosity, gentleness, faithfulness, modesty, self-control, chastity" (*CCC*, 1832). These twelve virtues that people see in us when we respond to the gifts of the Holy Spirit are known as the **fruits of the Holy Spirit**. And with the help of the Holy Spirit in our lives, we can continually show forth these virtues. We can draw people to God's love through the example of our Christian lives and thus, build up the Kingdom of God on earth.

Like the Apostles on Pentecost, through the outpouring of the Holy Spirit, which is "the effect of the sacrament of Confirmation" (*CCC*, 1302), we receive an increase of baptismal grace. We become more deeply rooted in God, our Father, and more firmly united to Christ. We receive an increase of the gifts of the Holy Spirit, and strengthen our bond with the Church. And as confirmed Christians we receive from the Holy Spirit the special strength to spread and defend the faith by our words and actions. Truly we become faithful witnesses of Jesus Christ—eager to proclaim his name!

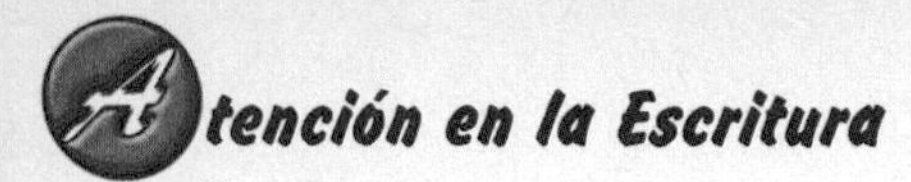

Jesús dijo a sus discípulos: "Todo árbol bueno da frutos buenos, mientras que el árbol malo da frutos malos. No puede un árbol malo dar frutos buenos. Todo árbol que no da buen fruto se corta y se echa al fuego. Así que por sus frutos los conocerán" (Mateo 7:17–20). Reflexiona en este pasaje. ¿Cómo la enseñanza de Jesús se relaciona con los frutos del Espíritu Santo?

Símbolos del Espíritu Santo: Agua

Mira la ilustración de las páginas 74–75. En la Escritura, una de las imágenes de los dones del Espíritu Santo es "agua viva". Durante una fiesta, Jesús proclamó:

> "Si alguien tiene sed, que venga a mí y beba... brotarán ríos de agua viva".
>
> (Juan 7:37–38)

Probablemente sabes que el agua es un importante signo del sacramento del Bautismo. Cuando fuiste bautizando el agua se usó para representar el poder del Espíritu Santo. Al prepararte para el sacramento de la Confirmación, reflexiona en como el agua es un símbolo importante del Espíritu Santo.

Reflexiona en momentos en que te fue difícil vivir tu fe católica.

¿Qué don del Espíritu Santo puede ayudarte en estos momentos?

Confirmación PyR

¿Cuáles son los dones del Espíritu Santo?

Spotlight on Scripture

Jesus tells his disciples, "Every good tree bears good fruit, and a rotten tree bears bad fruit. A good tree cannot bear bad fruit, nor can a rotten tree bear good fruit. Every tree that does not bear good fruit will be cut down and thrown into the fire. So by their fruits you will know them" (Matthew 7:17–20). Reflect on this passage. How does Jesus' teaching relate to the fruits of the Holy Spirit?

Symbols of the Holy Spirit: Water

Look back to the image on page 74–75. In Scripture, one of the images of the gifts of the Holy Spirit is "living water." During a feast, Jesus proclaimed, "Let anyone who thirsts come to me and drink. Whoever believes in me...

'Rivers of living water will flow from within him'"

(John 7:37–38).

You probably already know that water is an important sign in the Sacrament of Baptism. When you were baptized, water was used to represent the power of the Holy Spirit. As you prepare for the Sacrament of Confirmation, reflect on why water is an important symbol of the Holy Spirit.

Calling All Candidates

Reflect on the times when it is difficult to live your Catholic faith.

What gift of the Holy Spirit can help you in these times?

Confirmation Q & A

What are the gifts of the Holy Spirit?

Oración

Todos: En el nombre del Padre, y del Hijo,
y del Espíritu Santo. Amén.

Líder: Dios, Padre, por medio del agua del Bautismo
compartimos en tu vida divina.
Ahora nos estamos preparando para sellar nuestra
iniciación en la Iglesia en el sacramento
de la Confirmación.
Quédate con nosotros.

Todos: Quédate con nosotros.

Lector: Lectura del libro del profeta Ezequiel.
"Los rociaré con agua pura y los purificaré de todas sus
impurezas e idolatrías. Les daré un corazón nuevo y les
infundiré un espíritu nuevo". (Ezequiel 36:25, 26)

Palabra de Dios.

Todos: Te alabamos, Señor.

Candidato 1: Jesús, hemos sido bautizados en ti, Hijo de Dios.
Ahora nos preparamos para recibir y ser sellados con la
fortaleza de su Espíritu Santo en el sacramento de la
Confirmación.

Todos: Quédate con nosotros.

Candidato 2: Espíritu Santo ven a nosotros para fortalecernos
y cambiarnos.
Guíanos mientras compartimos nuestra fe y nos preparamos
para la misión que Jesús nos ha dado como miembros de su
Iglesia.

Todos: Santísima Trinidad, quédate con nosotros.
Permite que nuestra fe en ti y compromiso con la Iglesia sea
evidente en nuestras vidas.
Amén.

Let Us Pray

All: In the name of the Father, and of the Son,
and of the Holy Spirit. Amen.

Leader: God our Father, through the cleansing waters of Baptism,
we were given a share in your divine life.
We are now preparing to seal our initiation into the Church
in the Sacrament of Confirmation.
Remain with us always.

All: Be with us always.

Reader: A reading from the Prophet Ezekiel.
"I will sprinkle clean water upon you to cleanse you . . .
I will give you a new heart and place a new spirit within
you." (Ezekiel 36:25, 26)

The word of the Lord.

All: Thanks be to God.

Candidate 1: Jesus, we have been baptized into you, the
Son of God.
We are now preparing to receive and be sealed
with the strength of your Holy Spirit in the Sacrament
of Confirmation.

All: Be with us always.

Candidate 2: Holy Spirit, come upon us to strengthen us and
change us.
Guide us as we share our faith and prepare ourselves
for the mission that Jesus has given us as members of his
Church.

All: Holy Trinity, be with us always.
Let our belief in you and commitment to the Church be
evident in our lives.
Amen.

Enviado

FAMILIA

El apostolado cristiano empieza en la casa. Conversa con tu familia sobre cómo pueden servirse unos a otros. Después, escribe el nombre de cada uno de los miembros de la familia en un pedazo de papel y ponlo en una fuente grande. Pide a un voluntario sacar un nombre y leerlo en voz alta. Invita a cada miembro de la familia a reconocer las contribuciones de cada persona a la familia y como esa persona une a todos los miembros de la familia en el amor de Dios. Túrnense para que cada uno tenga la oportunidad de ser reconocido. Juntos ofrezcan una oración de acción de gracias por el don de ser una familia.

PADRINOS

Mientras avanzas hacia tu completa iniciación en la Iglesia, conversa con tu padrino o madrina sobre los derechos y responsabilidades de ser un miembro de la Iglesia. Conversen sobre los retos de cumplir con esas responsabilidades en el hogar, en tu parroquia y en tu comunidad.

COMUNIDAD

La redes sociales puede ofrecer maravillosas oportunidades para conectar con personas en todo el mundo, pero eso requiere responsabilidad. Somos llamados a respetar los derechos de los demás y los nuestros.

¿De qué red social eres miembro?

____

____

____

Mira tu perfil. ¿Respeta el contenido de tu página tus derechos y los derechos de los demás?

____

____

¿Cómo puedes contribuir en una cultura electrónica al respeto por medio de la red social a la que perteneces?

____

____

____

¿Has usado los dones que Dios te ha dado para ayudar a otros?

Go Forth

FAMILY

Christian service starts at home. Have a conversation with your family about ways you serve each other. Then, write each family member's name on a slip of paper and place all the slips in a large bowl. Ask a volunteer to draw a name and read it aloud. Invite each family member to recognize the contributions that the person brings to the family, and how that person brings your family closer together in God's love. Take turns so that each family member has a chance to be acknowledged. Together, offer a prayer of thanks giving for the gift of being a family.

SPONSOR

As you move towards full initiation into the Church, talk with your sponsor about the rights and responsibilities of being a member of the Church. Discuss the challenges of fulfilling these responsibilities at home, in your parish, and in your community.

COMMUNITY

Social networks can provide wonderful opportunities to connect with people across the globe, but require responsibility. We are all called to respect the rights of others and ourselves.

Which, if any, social networks are you a part of?

____

____

Take a look at your profile. Does all the content on your page respect your rights and the rights of others?

____

How can you contribute to an online culture of respect via the social networks to which you belong?

____

____

How have you already used your God-given gifts to help others?

CAPITULO 5

Celebrando el Espíritu Santo en nuestras vidas

"El Espíritu del Señor está sobre mí, porque el Señor me ha ungido".

Isaías 61:1

Candidato, es importante reflexionar en el significado del rito del sacramento de la Confirmación. Este sacramento no es sólo la culminación de tu iniciación en la Iglesia Católica, sino que también te une más al Espíritu Santo y renueva tus fuerzas para vivir tu fe católica. Has sido fortalecido para actuar y tratar a otros en forma tal que abrace los valores y las enseñanzas de la Iglesia. Has sido llamado a dar testimonio de Jesucristo con palabras y obras.

Habrá momentos en tu vida en que será difícil vivir tu fe católica. Reflexiona en cuáles pueden ser. ¿Cómo te puedes preparar para esos momentos?

____

____

____

____

____

____

____

____

____

____

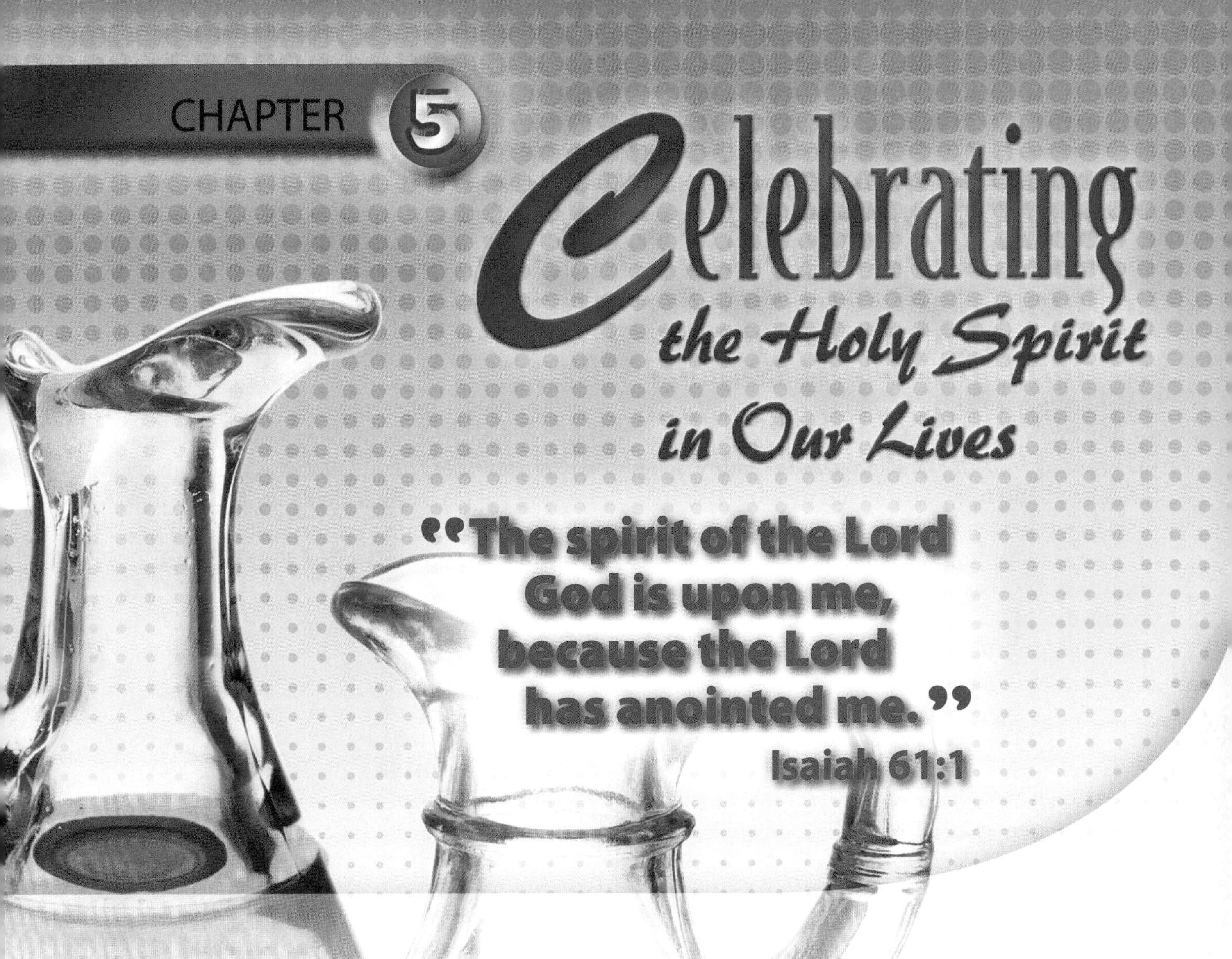

CHAPTER 5 Celebrating the Holy Spirit in Our Lives

"The spirit of the Lord God is upon me, because the Lord has anointed me."

Isaiah 61:1

Candidate, it is important to reflect on the significance of the Rite of the Sacrament of Confirmation. This sacrament is not only the culmination of your initiation into the Catholic Church, but it also binds you more fully to the Holy Spirit. And, the Holy Spirit renews your strength to live out the Catholic faith. You are empowered to act and treat others in a way that embodies the values and teachings of the Church. You are called to witness to Jesus Christ in word and action.

There will be times in your life when it will be difficult to live out your faith. Reflect on what they may be. How can you prepare yourself for these times?

____

____

____

____

____

____

____

____

____

____

La celebración de la Confirmación nos lleva del Bautismo a la Eucaristía.

Pronto recibirás el sacramento de la Confirmación. Piensa en este peregrinaje de fe que te ha preparado para la gracia de este sacramento. Ya has sido bautizado y estás listo para renovar tus promesas bautismales. Has alcanzado la edad de la razón, por consiguiente estás en edad de ser catequizado. Esto significa que tienes suficiente madurez para entender conceptos de fe, apreciar y participar en la liturgia de la Iglesia. La instrucción por la que has pasado en la preparación para la Confirmación ha aumentado tu conocimiento de la fe. Has rezado y reflexionado en profundizar, por medio de este sacramento, tu compromiso de crecer como discípulo de Cristo. Has mostrado ese compromiso por medio de tus obras de apostolado. Has escogido a un padrino o madrina que caminará contigo a la Confirmación y más allá. Has decidido tomar el nombre que es ejemplo de las cualidades que quieres desarrollar como discípulo. Celebraste o vas a celebrar el sacramento de la Reconciliación, has celebrado el perdón de Dios para prepararte a celebrar el sacramento de la Confirmación.

La liturgia del sacramento de la Confirmación fluye de una acción simbólica a otra. En el manual de *los ritos de la Iglesia Católica* están establecidos los ritos para la celebración de los sacramentos, vemos que la Confirmación puede celebrarse dentro o fuera de una misa. (Ver cuadro)

Rito de la Confirmación

Dentro de la misa

Dentro de la misa
Liturgia de la Palabra
Sacramento de la Confirmación
Presentación de los candidatos
• Homilía o enseñanza
• Renovación de las promesas del Bautismo
• Imposición de las manos
• Unción con crisma
• Oración de los fieles
Liturgia de la Eucaristia
• Bendición
• Oración por el pueblo

Fuera de la misa

Fuera de la misa
Rito de entrada
Canción de entrada
• Oración inicial
Celebración de la palabra
Celebración del sacramento
• Presentación de los candidatos
• Homilía o enseñanza
• Renovación de las promesas del Bautismo
• Imposición de las manos
• Unción con crisma
• Oración de los fieles
• Padrenuestro
• Oración sobre el pueblo

The celebration of Confirmation leads us from Baptism to the Eucharist.

You will soon receive the Sacrament of Confirmation. Think about the journey of faith that has prepared you for the grace of this sacrament. You have already received Baptism and are ready to renew your baptismal promises. You have reached the age of reason and thus you are of catechetical age. This means that you are old enough to understand what the Church believes and to appreciate and participate in the Church's liturgy. The instruction that you have received in preparation for Confirmation has increased your knowledge of the faith. You have prayed about and reflected on deepening, through this sacrament, your commitment to growing as a disciple of Christ. And you have shown this commitment through your works of service. You have chosen a sponsor who will journey with you to Confirmation—and even beyond it! You have decided to reaffirm your baptismal name or you have chosen a new name. This name should represent the qualities you wish to develop as a disciple. And you have, or will have, received the Sacrament of Penance, celebrating God's forgiveness in readiness for your Confirmation. Having prepared in these ways you are ready to be confirmed.

The liturgy of the Sacrament of Confirmation flows from one symbolic action to another. And in the volumes, *The Rites of the Catholic Church*, where the established rituals for the sacraments are set forth, we find that Confirmation can be celebrated within or outside of Mass. (See the chart below.)

Rite of Confirmation

Within Mass	Outside Mass
Liturgy of the Word	*Introductory Rites*
Sacrament of Confirmation	*Entrance Song*
Presentation of the Candidates	• Opening Prayer
• Homily or Instruction	*Celebration of the Word of God*
• Renewal of Baptismal Promises	*Sacrament of Confirmation*
• The Laying on of Hands	• Presentation of the Candidates
• The Anointing with Chrism	• Homily or Instruction
• General Intercessions	• Renewal of Baptismal Promises
Liturgy of the Eucharist	• The Laying on of Hands
• Blessing	• The Anointing with Chrism
• Prayer over the People	• General Intercessions
	• Lord's Prayer
	• Prayer over the People

Personas santas

Beata Teresa de Calcuta

La madre Teresa nació en 1910 en Macedonia. Sus padres le dieron el nombre de Gonxha, Inés. Desde los doce años, Inés tenía deseos fuertes de servir a Dios como misionera. Ella investigó sobre órdenes de hermanas religiosas misioneras y los lugares donde trabajaban. Decidió viajar a Irlanda para unirse a las Hermanas de Loreto. Entró a la comunidad en 1928 y fue enviada a la India en 1929. Ahí hizo sus votos y tomó el nombre de Teresa en honor a santa Teresa de Avila y santa Teresa de Lisieux.

La hermana Teresa enseño en una escuela secundaria católica en Calcuta, India. Después de ver los aprietos de los pobres en las calles de la ciudad, decidió que quería servirlos. Ella pidió permiso al papa para establecer una nueva comunidad para servir a los enfermos y los pobres. En 1950, esa orden, Misioneras de la Caridad, empezó a trabajar con los más necesitados. La madre Teresa sirvió a los pobres hasta su muerte en 1997. Por su dedicado trabajo recibió muchos honores, incluyendo el Premio Nobel de la Paz, en 1979. En el 2003 fue beatificada. Visita *Vidas de santos* en: **www.inspiradosporelespiritu.com** para aprender más sobre mujeres santas y el trabajo de las Misioneras de la Caridad.

En *los ritos de la Iglesia Católica*, leemos que: "De ordinario, la Confirmación se administrará dentro de la misa, para que se manifieste con más claridad la conexión fundamental de este sacramento con toda la iniciación cristiana". Generalmente el sacramento de la Confirmación es conferido durante la misa, donde para todos los confirmados la iniciación cristiana "alcanza su cumbre en la comunión del cuerpo y la sangre de Cristo". (Ritual de los sacramentos).

Ya sea dentro o fuera de una misa que se celebre el sacramento de la Confirmación la presencia especial del Espíritu Santo vienes por medio de las palabras y los gestos usados en este sacramento. Porque: "Desde Pentecostés, el Espíritu Santo realiza la santificación a través de los signos sacramentales de la Iglesia". (*CIC*, 1152)

Se te ha pedido hablar a los que se van a confirmar el próximo año. Escribe tres punto importantes que te gustaría destacar.

1.

2.

3.

Confirmación PyR

¿Por qué generalmente la Confirmación tiene lugar dentro de una misa?

In *The Rites of the Catholic Church*, we read that "Confirmation takes place as a rule within Mass in order that the fundamental connection of this sacrament with all of Christian initiation may stand out in clearer light." And thus it is usual that the Sacrament of Confirmation is conferred during the Mass where, for all who are confirmed, "Christian initiation reaches its culmination in the communion of the body and blood of Christ" (*The Rites, Volume I,* Confirmation, no.13).

But whether Confirmation is celebrated within Mass or outside of it, the special presence of the Holy Spirit is brought about through the words and actions used in this sacrament. For "Since Pentecost, it is through the sacramental signs of his Church that the Holy Spirit carries on the work of sanctification" (*CCC*, 1152).

You have been asked to speak to next year's Confirmation candidates. Write three important points you would like to present to them.

1.

2.

3.

Saints and Holy People

Blessed Teresa of Calcutta

Mother Teresa was born in 1910 in Macedonia. Her parents named their daughter Gonxha, or Agnes. From the time she was twelve, Agnes had a strong desire to serve God as a missionary. She researched missionary orders of religious sisters and the lands where the sisters worked. She decided to travel to Ireland to join the Sisters of Loreto. She entered the community in 1928 and was sent to India in 1929. There she made her vows and took the name of Teresa to honor Saints Teresa of Àvila and Thérèse of Lisieux.

Sister Teresa taught in a Catholic high school in Calcutta, India. After witnessing the plight of poor people in the city streets, she decided she wanted to serve them. She asked the pope for permission to establish a new community to serve those who were sick and poor. In 1950, this order, the Missionaries of Charity, began their work with the neediest among the people. Mother Teresa served the poor until she died in 1997. For her dedicated work she received many honors, including the 1979 Nobel Peace Prize. In 2003, she was beatified. Visit *Lives of the Saints* at **www.inspiredbythespirit.com** to learn more about this holy woman and the work of the Missionaries of Charity.

Confirmation Q & A

Why does Confirmation usually take place within the Mass?

El sacramento de la Confirmación celebra la fe de la Iglesia.

Como posiblemente recibirás la Confirmación durante una misa, vamos a ver lo que tendrá lugar en el *rito de la Confirmación dentro de una misa*. Durante la primera parte de la misa, la *Liturgia de la Palabra*, la comunidad se reúne, empieza la liturgia y la palabra de Dios es proclamada.

Después de las lecturas bíblicas empieza el rito con la *presentación de los candidatos*. El párroco u otro líder de la parroquia presenta los candidatos al obispo que va a confirmar. Los candidatos, se ponen de pie. Pueden ser llamados por sus nombres, o por nombre escogido para la Confirmación o presentados en grupo.

El obispo ofrece una *homilía o instrucción*. En ese momento el obispo reflexiona en las lecturas y en el sacramento de la Confirmación. Con sus palabras, el obispo despierta en la comunidad de creyentes el reconocimiento de Jesús quién está presente en ellos. Y mueve en ellos el deseo de actuar en nombre de Jesús. El obispo puede preguntar sobre la fe y su conocimiento de la Confirmación a los candidatos. Al hablar a los candidatos y a toda la comunidad reunida, él testifica sobre su propia fe y la fe de todos los creyentes. El obispo recuerda a todos los presentes su don de la fe y el poder del Espíritu Santo en sus vidas.

Luego los candidatos son invitados a hacer pública la profesión de su fe bautismal. Se ponen de pie para la *renovación de las promesas del Bautismo*. El obispo les hace las siguientes preguntas:

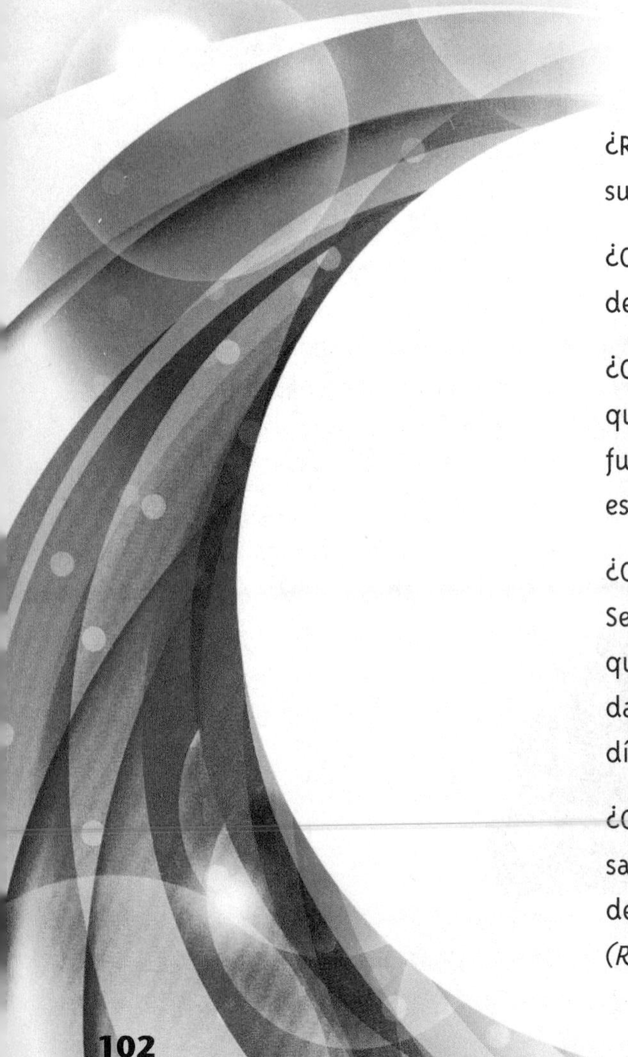

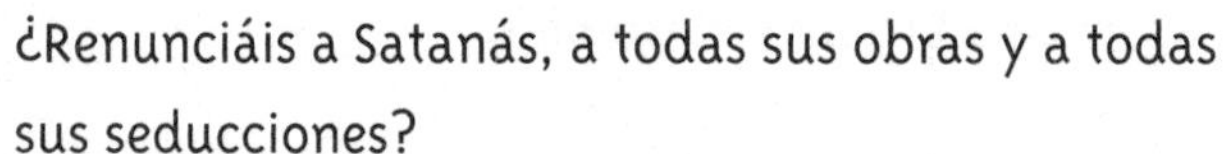

¿Renunciáis a Satanás, a todas sus obras y a todas sus seducciones?

¿Creéis en Dios, Padre todopoderoso, creador del cielo y de la tierra?

¿Creéis en Jesucristo, su único Hijo, nuestro Señor,
que nació de santa María Virgen, murió,
fue sepultado, resucitó de entre los muertos y
está sentado a la derecha del Padre?

¿Creéis en el Espíritu Santo,
Señor y dador de vida,
que hoy, por el sacramento de la Confirmación se nos
da de manera excelente, como a los apóstoles en el
día de Pentecostés?

¿Creéis en la santa Iglesia católica, en la comunión de los santos, en el perdón de los pecados, en la resurrección de los muertos y en la vida eterna?
(Rito de la Confirmación)

The Sacrament of Confirmation celebrates the faith of the Church.

Since you will most likely receive Confirmation during Mass, let's look at what will take place in the *Rite of Confirmation Within Mass*. During the first main part of the Mass, the *Liturgy of the Word,* the community gathers, the liturgy begins and the Word of God is proclaimed.

After the Scripture readings, the sacramental rites begin with the *Presentation of the Candidates*. The pastor or a parish leader presents all those to be confirmed to the bishop. The candidates stand. They may be called by their names, including their Confirmation names, or they may be presented as a group.

The bishop then gives the *Homily or Instruction*. At this time the bishop reflects on the readings and on the Sacrament of Confirmation. Through his words the bishop awakens in this community of believers the recognition of Jesus who is present with them. And he stirs up in them the desire to act in Jesus' name. The bishop may ask the candidates about their faith and their understanding of Confirmation. In talking to the candidates and to all of the assembled community, he testifies to his own faith and the faith of all believers. The bishop reminds all present of their gift of faith, and of the power of the Holy Spirit in their lives.

Next, the candidates are invited to make a public profession of their baptismal faith. Thus, they stand for the *Renewal of Baptismal Promises*. And the bishop asks them the following questions:

Do you reject Satan and all his works and all his empty promises?

Do you believe in God the Father almighty, creator of heaven and earth?

Do you believe in Jesus Christ, his only Son, our Lord,
who was born of the Virgin Mary,
was crucified, died, and was buried,
rose from the dead,
and is now seated at the right hand of the Father?

Do you believe in the Holy Spirit,
the Lord, the giver of life,
who came upon the apostles at Pentecost
and today is given to you sacramentally
in confirmation?

Do you believe in the holy catholic Church,
the communion of saints, the forgiveness of sins,
the resurrection of the body, and life everlasting?
(The Rite of Confirmation)

Llamado Candidatos

Mira de nuevo las creencias que profesaste en la *renovación de las promesas bautismales*. Conversar sobre cada una de ellas con tu padrino o madrina. Aclara lo que no entiendes totalmente.

Personas santas

San Ambrosio

Ambrosio fue un abogado y también gobernador de una provincia romana que incluía la ciudad de Milán. Cuando el obispo de Milán murió en 374, un grupo de herejes que negaban algunas de las enseñanzas de la Iglesia querían un nuevo obispo que compartiera sus creencias. Cuando representantes de la verdadera Iglesia y los herejes se reunieron en la basílica de Milán para elegir el nuevo obispo, la elección rápidamente amenazó con convertirse en una reyerta. Como gobernador, Ambrosio fue a la basílica para tratar de restaurar el orden. Su fe, sabiduría y valor impresionaron a muchos. El fue electo como el nuevo obispo. Ambrosio se sorprendió e inicialmente protestó ya que no era sacerdote, de hecho, él no había sido siquiera bautizado. Pero se le pidió aceptar la elección. Ambrosio estuvo de acuerdo. Fue bautizado, más tarde ordenado sacerdote y finalmente como obispo.

Como obispo de Milán, sus homilías fueron elocuentes y persuasivas. Dentro del pueblo convirtió y bautizó a san Agustín de Hippo, quien llegó a ser un gran santo. Visita *Vidas de santos* en: **www.inspiradosporelespiritu.com** para aprender más sobre San Ambrosio.

Los candidatos contestan a cada una de las preguntas "Sí, creo", reafirmando la fe que fue profesada en el Bautismo. Entonces el obispo, afirmando su profesión de fe, proclama la fe de la Iglesia diciendo:

> Esta es nuestra fe. Esta es la fe de la Iglesia,
> que nos gloriamos de profesar en Cristo Jesús,
> Señor nuestro.
> Toda la congregación responde: Amén.
>
> *(Rito de la Confirmación)*

Esta profesión de fe en la celebración del sacramento de la Confirmación es un compromiso a la Santísima Trinidad, Dios Padre, Hijo y Espíritu Santo. Es una expresión de fe para todo el que cree, comparte el Espíritu y vive la misión de Cristo y la Iglesia.

El papel de un obispo

Obispos son sacerdotes que han recibido la totalidad del sacramento del Orden. Los obispos son los sucesores de los apóstoles y comparten la responsabilidad de toda la Iglesia en comunión y bajo la autoridad del papa. Los obispos tienen tres ministerios: enseñar, gobernar y santificar. El obispo de una diócesis enseña la fe, gobierna al pueblo y las instituciones de su diócesis y promueve la santidad de su pueblo es responsable de la celebración de los sacramentos en su diócesis.

Un obispo tiene algunos símbolos que significan su función. La *mitra* es un sombrero triangular. Siempre se pone a un lado cuando el obispo reza. El *báculo* es símbolo de autoridad y jurisdicción. Es el bastón de un pastor, porque el obispo es el pastor del pueblo a su cuidado. El obispo también usa una *cruz en su pecho* que la cuelga de su cuello para tener siempre presente el sufrimiento y muerte de Cristo. El *anillo episcopal* es usado por el obispo como signo de su compromiso con el pueblo de su diócesis.

¿Qué puedes hacer para apoyar a tu obispo como maestro, gobernador y santificador de tu diócesis?

Confirmación PyR

¿Por qué renovamos nuestras promesas de bautismo en la Confirmación?

The candidates answer each of the questions with the words "I do", reaffirming the faith that was professed at Baptism. Then the bishop, affirming their profession of belief, proclaims the faith of the Church, saying,

> This is our faith. This is the faith of the Church.
> We are proud to profess it in Christ Jesus our Lord.
> The whole congregation responds: Amen.
>
> *(The Rite of Confirmation)*

This profession of faith at the celebration of the Sacrament of Confirmation is a commitment to the Blessed Trinity—God the Father, Son, and Holy Spirit. It is an expression of faith to all who believe, share the Spirit, and live out the mission of Christ and the Church.

The Role of a Bishop

Bishops are priests who have received the fullness of the Sacrament of Holy Orders. The bishops are the successors of the Apostles and share responsibility for the whole Church, in communion with and under the authority of the Pope. The bishop has a three-fold ministry: to teach, to govern, and to sanctify. The bishop of a diocese teaches the faith, he governs the people and institutions of his diocese, and he promotes the holiness of his people. He is responsible for the faith celebration of the sacraments in his diocese.

Certain symbols signify the office of bishop. The *mitre* is a triangular head covering. The *mitre* is always laid aside when the bishop prays. The *crosier* is a symbol of authority and jurisdiction. It is a shepherd's staff, because the bishop is shepherd of the people entrusted to his care. The bishop also wears a *pectoral cross* around his neck to keep him mindful of Christ's suffering and Death. His *episcopal ring* is a sign of his commitment to the Catholic Church and to the people of his diocese.

What can you do to support your bishop as he teaches, governs, and sanctifies your diocese?

Look back at the beliefs you professed in the *Renewal of Baptismal Promises*. Talk about each of these Catholic beliefs with your sponsor. Clarify any that you do not fully understand.

Saints and Holy People

Saint Ambrose

Ambrose was a lawyer and also the governor of a Roman province that included the city of Milan. When the Bishop of Milan died in 374, a group of heretics, people who were denying some teachings of the Church, wanted a new bishop who shared their beliefs. So when it came time to meet in the basilica of Milan to elect a new bishop, the election soon threatened to become a riot due to the outcries of these heretics. As governor, Ambrose went to the basilica to try to restore order. His faith, wisdom, and courage impressed many people. He was elected as the new bishop. Ambrose was stunned and at first protested that he was not a priest; in fact, he was not even baptized! But he was urged to accept the election. Ambrose agreed, was baptized, and was later ordained as a priest and eventually as a bishop.

As Bishop of Milan, Ambrose's homilies were eloquent and persuasive. Among the people he converted and baptized was Augustine of Hippo, who also went on to become a saint. Visit *Lives of the Saints* on **www.inspiredbythespirit.com** to learn more about Saint Ambrose.

Confirmation Q & A

Why do we renew our baptismal promises at Confirmation?

La imposición de las manos nos recuerda los orígenes de la Confirmación.

En el *rito de la Confirmación dentro de la misa,* después que los candidatos renuevan sus promesas de bautismo, el obispo los invita a rezar pidiendo el derrame del Espíritu Santo sobre los que serán confirmados. Después, usando los signos y gestos que han sido transmitidos desde los tiempos de los apóstoles, *la imposición de las manos* tiene lugar. El obispo y los sacerdotes concelebrantes extienden sus manos sobre los candidatos. El obispo reza para que el Espíritu Santo venga sobre los candidatos y que ellos reciban sus dones diciendo:

Dios todopoderoso, Padre de nuestro señor Jesucristo, que, por el agua y el Espíritu Santo, has librado del pecado a esos hijos tuyos y les ha dado nueva vida, envía ahora sobre ellos el Espíritu Santo paráclito; concédeles espíritu de sabiduría y de entendimiento, espírtu de consejo y de fortaleza espíritu se ciencia y piedad, y cólmalos del espíritu de tu temor. Por Jesucristo nuestro Señor.
Amen.
(Rito de la Confirmación)

Esta imposición de las manos: "perpetúa, en cierto modo, en la Iglesia, la gracia de Pentecostés" (*CIC*, 1288). Mediante la imposición de las manos los apóstoles compartían con los nuevos miembros de la Iglesia, "el don del Espíritu Santo, destinado a completar la gracia del Bautismo" (*CIC*, 1288). Por eso, en el rito de la Confirmación hoy, la imposición de las manos por el obispo y otros sacerdotes concelebrantes es muy importante. Nos ayuda a tener un claro entendimiento del origen de la Confirmación.

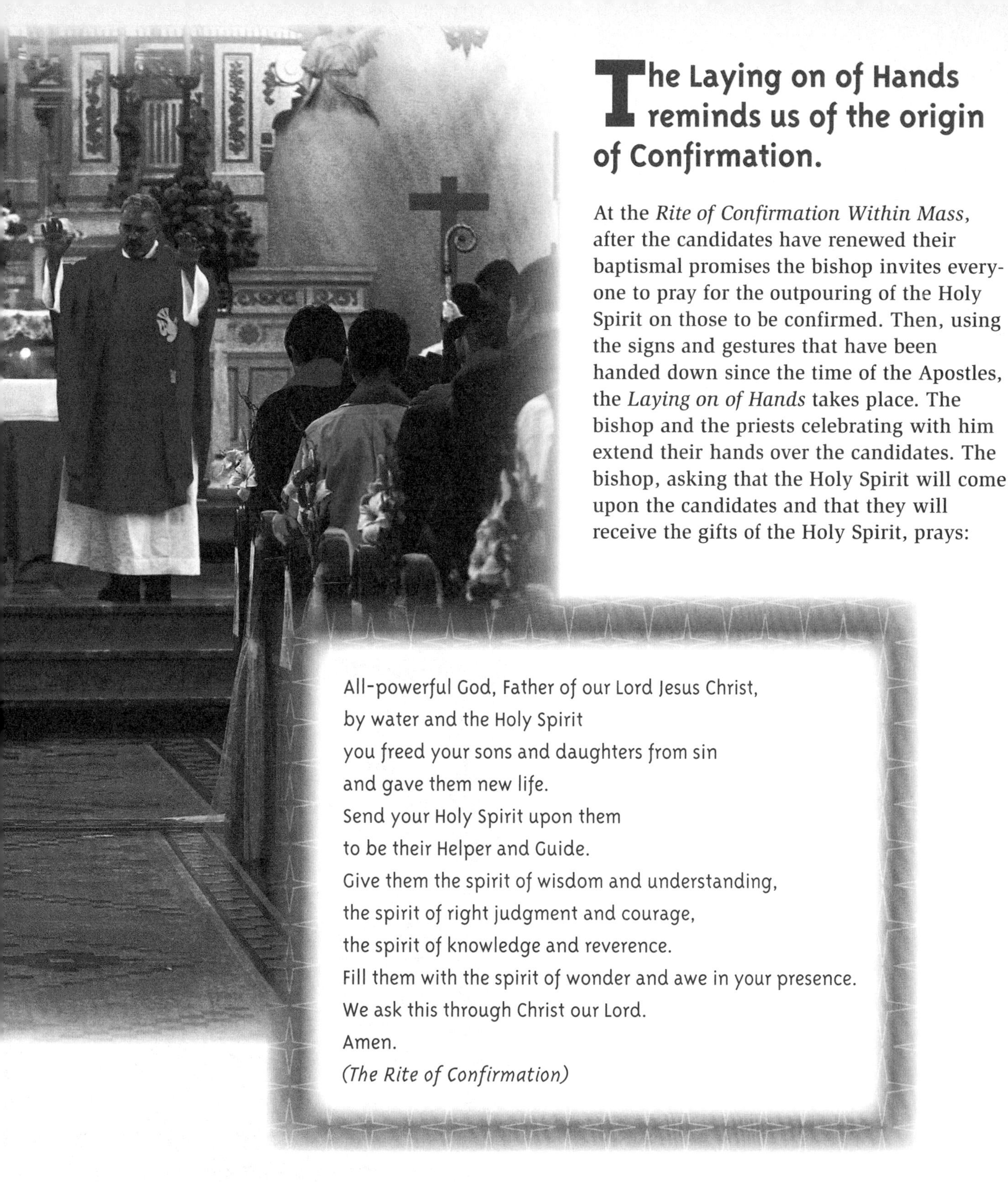

The Laying on of Hands reminds us of the origin of Confirmation.

At the *Rite of Confirmation Within Mass,* after the candidates have renewed their baptismal promises the bishop invites everyone to pray for the outpouring of the Holy Spirit on those to be confirmed. Then, using the signs and gestures that have been handed down since the time of the Apostles, the *Laying on of Hands* takes place. The bishop and the priests celebrating with him extend their hands over the candidates. The bishop, asking that the Holy Spirit will come upon the candidates and that they will receive the gifts of the Holy Spirit, prays:

All-powerful God, Father of our Lord Jesus Christ,
by water and the Holy Spirit
you freed your sons and daughters from sin
and gave them new life.
Send your Holy Spirit upon them
to be their Helper and Guide.
Give them the spirit of wisdom and understanding,
the spirit of right judgment and courage,
the spirit of knowledge and reverence.
Fill them with the spirit of wonder and awe in your presence.
We ask this through Christ our Lord.
Amen.
(The Rite of Confirmation)

This imposition, or laying on, of hands "in a certain way perpetuates the grace of Pentecost in the Church" (*CCC*, 1288). For by the "laying on of hands", the Apostles shared with the newly baptized members of the Church "the gift of the Spirit that completes the grace of Baptism" (*CCC*, 1288). Thus, in the Church's Rite of Confirmation today, the laying on of hands by the bishop and other priest-celebrants is still very important. It helps to give us a clearer understanding of the meaning and origin of Confirmation.

Conexión con la liturgia

La imposición de las manos tiente lugar en varios sacramentos. Uno de estos sacramentos es la Unción de los Enfermos. Este sacramento con frecuencia empieza con la Liturgia de la Palabra o una lectura de la Biblia. Se ofrece una oración de fe recordando que: "el Señor lo restablecerá" (Santiago 5:15). El sacerdote impone sus manos en la cabeza del enfermo. Esta imposición de las manos es un signo de bendición y un llamado al Espíritu Santo sobre la persona. Después el sacerdote unge la frente y las manos del enfermo con el óleo de los enfermos.

Atención en la Escritura

La Biblia contiene varias referencias a la mano de Dios. En algunos pasajes la mano de Dios ofrece protección y consuelo.

"Por todas partes me rodeas,
y tus manos me protegen". (Salmo 139:5)

En otro pasaje, Dios ofrece fortaleza imponiendo su mano en los que ha escogido: "Abre tu mano y sacias de favores a todo ser viviente".
(Salmo 14:16)

Lee los siguientes pasajes que hablan de la mano de Dios. Eclesiastés 2:24; Juan 10:28 y 1 Pedro 5:6. Conversa sobre estas preguntas con tu familia, tu padrino o madrina: *¿has sentido alguna vez que la "mano de Dios" se ha posado en ti?*

Confirmación PyR

¿Cuál es la importancia de la imposición de las manos por el obispo y otros sacerdotes concelebrantes de la Confirmación?

Liturgy Connection

The laying on of hands occurs in several sacraments. One of these sacraments is the Anointing of the Sick. This sacrament usually begins with the Liturgy of the Word or a reading from Scripture. A prayer of faith is offered, recalling that God "will save the sick person" (James 5:15). The priest lays his hands on the head of the sick person. This laying on of hands is a sign of blessing and a calling of the Holy Spirit upon the person. Then, the priest anoints the forehead and hands of the sick person with the oil of the sick.

Spotlight on Scripture

The Bible contains several references to the hand of God. In some passages, God's hand offers protection and comfort.

"Behind and before you encircle me
and rest your hand upon me." (Psalm 139:5)

In another passage, God provides strength by laying his hand upon those whom he has chosen. "I therefore took courage… with the hand of the LORD, my God, upon me."
(Ezra 7:28)

Read the following passages that speak of the hand of God: Ecclesiastes 2:24, John 10:28, and 1 Peter 5:6. Discuss this question with your family or your sponsor: *Have you ever felt that the "hand of God" was upon you?*

Confirmation Q & A

What is the importance of the Laying on of Hands by the bishop and the other priest-celebrants in Confirmation?

En la Confirmación somos sellados con el don del Espíritu Santo.

En el *Rito de la Confirmación dentro de la misa* ahora llegamos a la *unción con crisma*. Esta es la *esencia del Rito* de la Confirmación. "La unción del santo crisma después . . . es el signo de una consagración" (*CIC*, 1294). Cada candidato es presentado por su padrino o madrina y se acerca al obispo para ser ungido con santo crisma. El padrino o madrina pone su mano derecha en el hombro del candidato como señal de apoyo y guía. El obispo confirma a cada candidato imponiendo su mano en la cabeza del candidato y trazando con santo crisma la señal de la cruz en la frente, mientras lo llama por su nombre diciendo:

> "Recibe el don del Espíritu Santo".

La persona que ha sido confirmada responde,

> "Amén". *(Rito de la Confirmación)*

Ahora el Espíritu Santo se ha derramado en los confirmados, fortaleciéndolos para compartir la misión de Jesucristo y para ser testigos de Cristo. El obispo comparte el saludo de la paz con los recién confirmados, recordándoles la unión de toda la Iglesia con él, su líder y guía. Los recién confirmados ofrecen el saludo de la paz al obispo.

Se continúa con la *oración de los fieles* mientras toda la asamblea pide a Dios por los recién confirmados, sus familias y sus padrinos y por toda la Iglesia.

La misa continúa con la *Liturgia de la Eucaristía*, donde todos comparten el regalo de Jesús mismo en la comunión. El obispo concluye la Liturgia de la Eucaristía con una *bendición* especial y *oración sobre el pueblo*. Los recién confirmados se unen a todos los miembros de la Iglesia para vivir el amor y estar al servicio de la Iglesia. El diácono o ministro pide a los presentes bajar la cabeza. El obispo extiende sus manos sobre el pueblo y dice esta u otra oración especial:

> Padre de bondad, confirma lo que has obrado en nosotros y conserva en el corazón de tus hijos los dones del Espíritu Santo, para que no se avergüencen en de dar testimonio de Cristo crucificado y, movidos por la caridad, cumplan sus mandamientos. Por Jesucristo nuestro Señor.

El pueblo responde:

> "Amén". *(Rito de la Confirmación)*

In Confirmation we are sealed with the Gift of the Holy Spirit.

In the *Rite of Confirmation Within Mass* we now come to the *Anointing with Chrism*. This is the *essential rite* of Confirmation. This "post-baptismal anointing with sacred chrism in Confirmation... is the sign of consecration" (*CCC*, 1294). Each candidate is presented by a sponsor and approaches the bishop to be anointed with Sacred Chrism. The sponsor places his or her right hand on the candidate's shoulder as a sign of support and guidance. And the bishop confirms each candidate by laying his hand on the candidate's head and tracing the sign of the cross on the candidate's forehead with Sacred Chrism, while calling the candidate by name and saying,

> "Be sealed with the Gift of the Holy Spirit."

The person who has just been confirmed responds,

> "Amen." (*The Rite of Confirmación*)

The Holy Spirit has now been poured out upon the confirmed, strengthening them to share in the mission of Jesus Christ and to be Christ's witnesses to others. The bishop shares a sign of peace with the newly confirmed, reminding them of the union of the whole Church with him, their leader and guide. And the newly confirmed offer a sign of peace to the bishop. The *General Intercessions* follow as all assembled pray to God for the newly confirmed, their families and sponsors, and the whole Church.

The Mass continues with the *Liturgy of the Eucharist*, where all now share in the gift of Jesus himself in Holy Communion. Then, the bishop concludes the Eucharistic liturgy with a special *Blessing* and *Prayer Over the People*. And those who have just been confirmed join with all Church members in living out lives of love and service in the Church. The deacon or minister asks those present to bow their heads. The bishop then extends his hands over the people and says this or one of the other special prayers:

> God our Father,
> complete the work you have begun
> and keep the gifts of your Holy Spirit
> active in the hearts of your people.
> Make them ready to live his Gospel
> and eager to do his will.
> May they never be ashamed
> to proclaim to all the world Christ crucified
> living and reigning for ever and ever.

The people respond,

> "Amen." (*The Rite of Confirmación*)

Conexión con el Catecismo

El *Catecismo de la Iglesia Católica* explica que: "para mejor significar el don del Espíritu Santo, se añadió a la imposición de las manos una unción con óleo perfumado (crisma). Esta unción ilustra el nombre de "cristiano" que significa "ungido" y que tiene su origen en el nombre de Cristo, al que "Dios ungió con el Espíritu Santo". (*CIC*, 1289)

***Cristo* significa "el ungido". Los seguidores de Cristo son "ungidos" quienes son llamados *cristianos*. Tu unción durante la Confirmación resalta tu identidad como cristiano.**

Sellado en el Espíritu Santo

El sello de la Confirmación demuestra la importancia del don del Espíritu Santo que recibimos en el sacramento. La Confirmación: "Imprime en el alma *una marca espiritual indeleble*" (*CIC*, 1304). Por eso, la Confirmación, igual que el Bautismo, sólo se celebra una vez. El sello de la Confirmación no es visible. Es un sello espiritual que nos identifica como católicos y acerca a los creyentes a Cristo.

Escribe una oración por los fieles que pueda ser rezada en tu Confirmación.

Por ____________________, para que

puedan ____________________,
te lo pedimos Señor.

Símbolos del Espíritu Santo: Unción

Mira la ilustración de las páginas 96–97. Como el ungido de Dios, Cristo, fue ungido con Espíritu Santo y con el poder:

"... Para anunciar la buena noticia a los pobres;
me ha enviado a proclamar la liberación a los cautivos,
a dar vista a los ciegos,
a libertar a los oprimidos
y a proclamar un año de gracia del Señor".
(Lucas 4:18–19)

Dios te fortalece cuando eres ungido en tu unción para hacer buenas obras para otros. Mientras te preparas para la Confirmación, recuerda que: "Es Dios quien a nosotros y a ustedes nos fortalece en Cristo, el que nos ha ungido, nos ha marcado con su sello y nos ha dado su espíritu como garantía de salvación". (2 Corintios 1:21–22)

Confirmación PyR

¿Cómo el obispo confiere el sacramento de la Confirmación a cada candidato?

Sealed in the Holy Spirit

The seal of Confirmation demonstrates the importance of the Gift of the Holy Spirit that we receive in the sacrament. Confirmation "imprints on the soul an *indelible spiritual mark*" (*CCC*, 1304) and therefore Confirmation, like Baptism, is received only once. The seal of Confirmation is not a visible seal. Rather, it is a spiritual seal that identifies us as Catholics and "conforms believers more fully to Christ" (*Rite of Confirmation*).

Catechism Connection

The *Catechism of the Catholic Church* states, "to signify the gift of the Holy Spirit, an anointing with perfumed oil (*chrism*) was added to the laying on of hands. This anointing highlights the name 'Christian,' which means 'anointed' and derives from that of Christ himself whom God 'anointed with the Holy Spirit'" (*CCC*, 1289).

The name *Christ* means "anointed one." Those who follow Christ are "anointed ones" who are called *Christians*. Your anointing at Confirmation highlights your identity as a Christian.

Write a General Intercession that could be prayed at your Confirmation.

For ____________________, that they may ____________________, we pray to the Lord.

Symbols of the Holy Spirit: Anointing

Look back to the image on page 96–97. As God's Anointed One, Christ was anointed with the Holy Spirit and with power

> "to bring glad tidings to the poor...
> to proclaim liberty to captives
> and recovery of sight to the blind,
> to let the oppressed go free,
> and to proclaim a year acceptable to the Lord"
> (Luke 4:18–19).

God gives you strength in your anointing to perform good works for others. As you prepare for Confirmation, remember that "the one who gives us security with you in Christ and who anointed us is God; he has also put his seal upon us and given the Spirit in our hearts" (2 Corinthians 1:21–22).

Confirmation Q & A

How does the bishop confer the Sacrament of Confirmation on each candidate?

Oración

Todos: En el nombre del Padre, y del Hijo,
y del Espíritu Santo. Amén.

Líder: Padre celestial, en el sacramento del Bautismo fuimos sellados por tu Hijo, Jesucristo. En el sacramento de la Confirmación seremos ungidos con el Santo Crisma, signo de tu Espíritu Santo. Guíanos mientras nos preparamos para la santa unción. En el nombre de tu Hijo, Jesús, oramos.

Todos: Amén.

Lector: Lectura de la segunda carta de san Pablo a los Corintios. "Y es Dios quien a nosotros y a ustedes nos fortalece en Cristo, el que nos ha ungido, nos ha marcado con su sello y nos ha dado su Espíritu como garantía de salvación". (2 Corintios 1:21–22)

Palabra de Dios,

Todos: Te alabamos, Señor.

(Pausa para reflexión)

Reflexiona en estas palabras que escucharás en tu Confirmación: "Recibe el don del Espíritu Santo".

Candidato 1: Espíritu Santo inspíranos a vivir como Cristo siendo miembros más perfectos de la Iglesia.

Todos: Espíritu de vida, sella nuestros corazones con tu gracia.

Candidato 2: Espíritu Santo, guíanos mientras nos comprometemos a servir a Dios y a nuestro prójimo como lo hizo Jesús.

Todos: Espíritu de vida, sella nuestros corazones con tu misericordia.

Candidato 3: Espíritu Santo, ayúdanos a crecer en fortaleza y sabiduría como testigo de Jesús cada día.

Todos: Espíritu de vida, sella nuestros corazones con tu fortaleza. Haznos imágenes de Jesucristo para que podamos dar testimonio de él por medio de nuestra fe, esperanza y caridad. Amén.

Let Us Pray

All: In the name of the Father, and of the Son, and of the Holy Spirit. Amen.

Leader: Heavenly Father, in the Sacrament of Baptism we were marked for your Son, Jesus Christ. In the Sacrament of Confirmation, we will be anointed with Sacred Chrism, sign of your Holy Spirit. Guide us as we prepare for this sacred anointing. In the name of your Son, Jesus, we pray.

All: Amen.

Reader: A reading from the Second Letter of Paul to the Corinthians.
"But the one who gives us security with you in Christ and who anointed us is God; he has also put his seal upon us and given the Spirit in our hearts."
(2 Corinthians 1:21–22)

The word of the Lord.

All: Thanks be to God.

(Pause for Reflection)

Reflect on these words that you will hear as you are confirmed:
"Be sealed with the Gift of the Holy Spirit."

Candidate 1: Holy Spirit, inspire us to live like Christ by becoming more perfect members of the Church.

All: Spirit of Life, seal our hearts with your grace.

Candidate 2: Holy Spirit, guide us as we commit to serving God and neighbor as Jesus did.

All: Spirit of Life, seal our hearts with your mercy.

Candidate 3: Holy Spirit, help us to grow strong and wise as we witness to Jesus each day.

All: Spirit of Life, seal our hearts with your strength.
Make us more completely images of Jesus Christ so that we may bear witness to him through lives of faith, hope, and love. Amen.

Enviado

PADRINOS

Piensa en el apoyo y guía que tu padrino o madrina te ofrece durante el proceso de preparación para la Confirmación. Después del día de la Confirmación recuerda expresar tu agradecimiento a tu padrino o madrina enviándole una tarjeta, llamándolo por teléfono o visitándolo. Si es posible, vayan juntos a misa o planifiquen un proyecto de apostolado juntos. Mantén una relación para apoyarse mutuamente en su compromiso de fe.

COMMUNIDAD

¿Qué hace tu escuela o parroquia para apoyar a las personas que continúan el trabajo de Jesús en el mundo?

____

____

____

¿Cuáles son algunas formas en que puedes involucrarte en esos esfuerzos?

____

____

____

FAMILIA

Piensa en como tu familia puede apoyar y ayudarte durante el proceso de preparación para la Confirmación. **Escribe una nota de agradecimiento par compartir con tu familia.**

____

____

____

____

____

____

Después haz un plan para celebrar a tu familia con una comida especial. Cualquier cosa que hagan debe ser para pasar tiempo juntos.

¿Cómo celebrarás la presencia del Espíritu Santo en tu vida?

Go Forth

SPONSOR

Think about the support and guidance your sponsor has offered you during the preparation process for Confirmation. After Confirmation day, remember to express your gratitude to your sponsor by sending a card, making a phone call, or arranging a personal visit. If possible, go to Mass together or plan a time to get involved in a service project together. Maintain your relationship throughout the years so that you support each other in your faith commitment.

COMMUNITY

What does your parish or school do to support people who continue Jesus' work in the world?

____

____

____

What are some ways you might become involved in these efforts?

____

____

____

FAMILY

Think about ways your family has supported and helped you during the preparation process of Confirmation. **Write a note of gratitude to share with your family.**

____

____

____

Then, make a plan to celebrate your family with a special meal or treat. Whatever you choose to do, it should be about spending time together!

How will you celebrate the presence of the Holy Spirit in your life?

Ya no eres un candidato. Como confirmado católico o *confirmati*, ahora eres un miembro de la Iglesia totalmente iniciado. Mientras te preparabas para recibir el sacramento de la Confirmación:

- rezaste con frecuencia en diferentes formas
- aprendiste más sobre tu fe
- reflexionaste en las palabras y acciones de Jesús en la Escritura
- celebraste el amor de Dios en la misa y otros sacramentos
- usaste tu tiempo y talentos para servir a otros
- participaste en el culto y el trabajo de tu comunidad parroquial.

Como cristiano confirmado estás llamado a participar en la vida de la Iglesia en todas estas formas. El Espíritu Santo te guía mientras continúa tu jornada de fe.

¿Quiénes te acompañarán en tu jornada?

____

¿Quién y qué será tu "GPS" para guiarte y darte direcciones?

____

¿Cómo seguirás viviendo y celebrando tu fe?

____

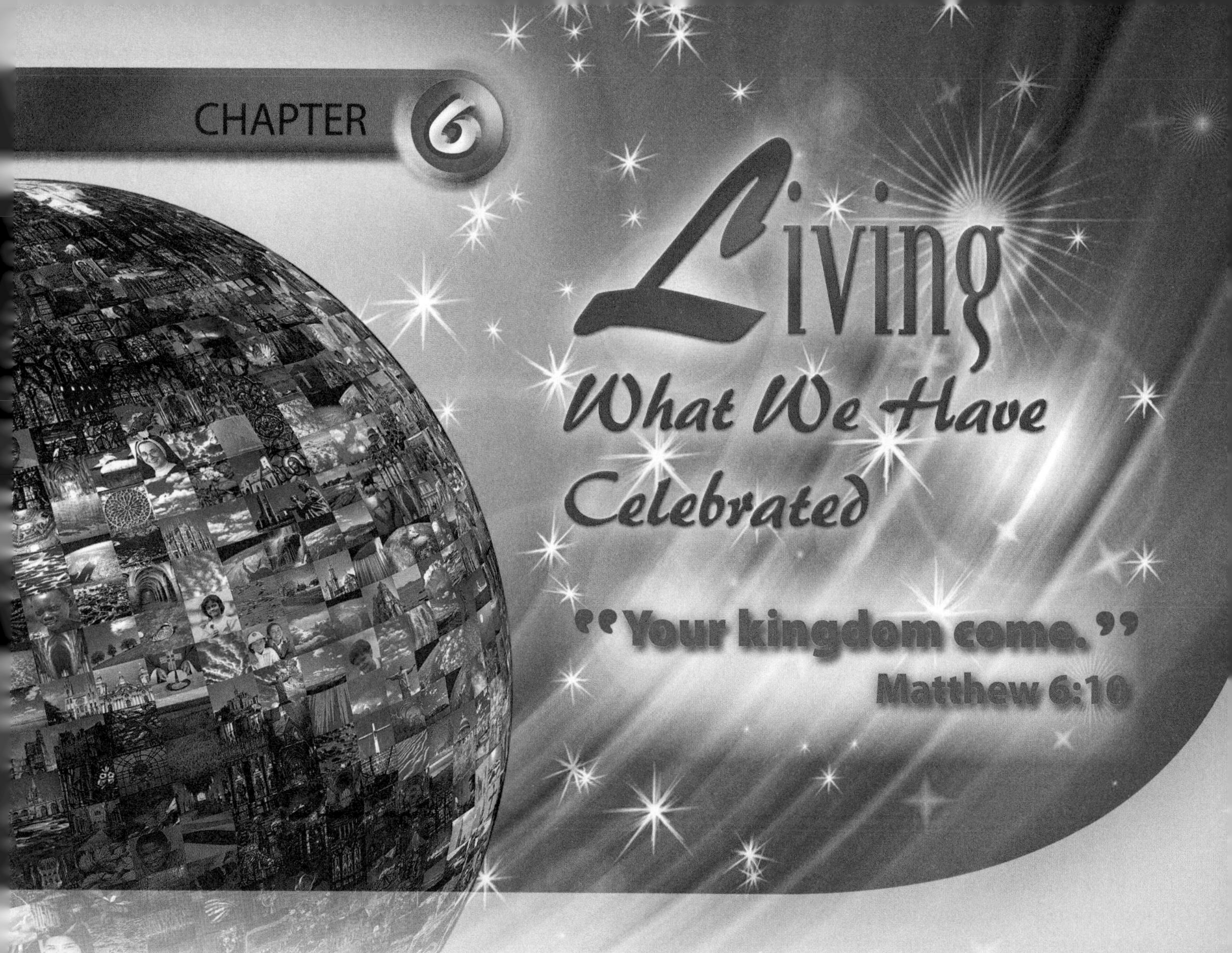

CHAPTER 6

Living What We Have Celebrated

"Your kingdom come."
Matthew 6:10

Candidates no longer! As confirmed Catholics or *Confirmati*, you are now fully initiated members of the Church. While you prepared to receive the Sacrament of Confirmation, you:

- prayed more often and in different ways
- learned more about your faith
- reflected on Jesus' words and actions in Scripture
- celebrated God's love at Mass and in other sacraments
- used your time and talents in serving others
- participated in the worship and work of your parish community.

As confirmed Christians, you are called to participate in the life of the Church in all of these ways. Know that the Holy Spirit is guiding you as you continue on your journey of faith.

Who will be companions on your journey?

___

Who and what will be your "GPS" to give you guidance and direction?

___

How will you continue to live and celebrate your faith?

___

El significado y la gracia del sacramento de la Confirmación se ven en su celebración.

Ya eres un cristiano *confirmado*. En el rito de la Confirmación renovaste tus *promesas de bautismo*, recibiste el *don del Espíritu Santo* y te uniste a Cristo en el sacramento de su vida y amor—*la Eucaristía*. Los mismos tipos de signos y símbolos, gestos, palabras y acciones que Dios usó para mostrar su presencia en su pueblo, fueron parte de tu celebración. Fuiste llamado por tu nombre, rezaron por ti y rezaste por los demás. Fuiste ungido y bendecido. Se llamó al Espíritu Santo para que se posara en ti. Los rituales de la liturgia de la Confirmación colmaron tus sentidos: el ver al obispo y a la comunidad reunida, escuchar las palabras de las lecturas y las oraciones, oler y sentir el santo crisma, el toque cuando la cruz fue trazada en tu frente, el sabor de la comida eucarística.

Piensa en el día de tu confirmación. Reflexiona en la celebración del sacramento y todo lo que pasó ese día. Usa cada una de estas preguntas para anotar las cosas que pasaron. Así podrá recordar la experiencia de tu confirmación ahora y en el futuro.

■ Junto con tu padrino o madrina, tu familia, amigos y miembros de la parroquia reunidos contigo para apoyarte en tu peregrinaje de fe. *¿Por qué esto fue importante para ti?*

___

___

___

■ Escuchaste las lecturas bíblicas durante la Liturgia de la Palabra. *¿Qué mensaje(s) escuchaste?*

___

___

___

■ Fuiste presentado al obispo como candidato a la Confirmación. *¿Cómo te sentiste?*

___

___

___

■ Escuchaste las palabras que el obispo te dirigió sobre las lecturas bíblicas y su importancia en este sacramento. *¿Qué mensaje recuerdas de esa homilía?*

___

___

___

■ Renovaste tus promesas de bautismo. *¿Cómo te sentiste al profesar tu fe abiertamente?*

___

___

___

■ El obispo y los sacerdotes de la parroquia estuvieron allí rezando y llamando al Espíritu Santo a descender sobre ti. *¿Cómo sentiste el poder de Dios trabajando en su Iglesia?*

___

___

___

■ El obispo te ungió y te sello con el Espíritu. *¿Cómo esa experiencia se relaciona con el primer Pentecostés?*

___

___

___

The meaning and grace of the Sacrament of Confirmation are seen in its celebration.

You are now a *confirmed* Christian! At the Rite of Confirmation, you renewed your *baptismal commitment*, received the *Gift of the Spirit*, and were united to Christ in the sacrament of his life and love—*the Eucharist*. The same types of signs and symbols, gestures, words, and actions that God long used to show his presence among his people, were a part of your celebration. You were called by name, prayed over, and prayed for! You were anointed and blessed! The Holy Spirit was "called down" upon you! And the rituals of the Confirmation liturgy permeated your senses: seeing the bishop and the community gathered, hearing the words of the readings and prayers, the smell and feel of the Sacred Chrism, the touch as the sign of the cross was traced on your forehead, the taste of the Eucharistic meal.

Think back to the day of your Confirmation. Reflect on your celebration of the sacrament and all that took place on that day. Use each question to make some notes about the things that happened. That way you can remember your experience of Confirmation now, and also in the future.

■ Along with your sponsor, your family, friends, and parish members gathered with you to support you on your faith journey. *Why was this important to you?*

___

___

___

■ You listened to the Scripture readings during the Liturgy of the Word. *What message(s) did you hear?*

___

___

___

■ You were presented to the bishop as a candidate for Confirmation. *How did you feel?*

___

___

___

■ You heard the words of the bishop as he spoke to you about the scriptural readings and the importance of this sacrament. *What message do you remember from this homily?*

___

___

___

■ You renewed your baptismal promises. *What were your feelings as you openly professed your faith?*

___

___

___

■ The bishop and priests from the parish were there to pray for the "calling down" of the Spirit upon you. *In what ways did you feel the power of God working in his Church?*

___

___

___

■ The bishop anointed you and sealed you with the Spirit. *In what ways did this experience relate to that of the first Pentecost?*

___

___

___

Un momento

Piensa en toda la tecnología que usas para conectarte con otros en el curso de un día. Todo el tiempo pasado mirando la pantalla, enviando y recibiendo mensajes, enviando textos, etc. Puede que no tengas tiempo para pensar en ti. El desarrollo de una vida plena de oración simplemente no se logra sin un poco de tiempo "fuera de línea". Se necesita un poco de tiempo cada día para "desconectarse" o apagar el teléfono, la televisión, la computadora, etc. Esto permite tiempo precioso para reflexionar en los eventos, encuentros y experiencias que han sido parte de tu vida. El salmista escribió: "¡Ríndanse, reconozcan que yo soy Dios!" (Salmo 46:11). Es una invitación tan relevante hoy como lo fue hace muchos siglos, la oportunidad de pausar en el curso de un día para ver como Dios te ha bendecido, y como el Espíritu de Santo está presente dentro de nosotros en el mundo a nuestro alrededor. Inténtalo.

Durante una semana toma tiempo para aquietarte y reflexionar. Al final de la semana evalúa los beneficios de tu experiencia reflexionando cada día. ¿Consideraría hacer de esto parte de tu día? Escribe tus ideas aquí.

- Toda la comunidad rezó por ti y por toda la Iglesia. *¿Por qué intenciones específicas se rezó?*

____

____

____

- La misa continuó con la Liturgia de la Eucaristía. *¿Por qué esta fue parte importante de la celebración de la Confirmación?*

____

____

____

- El obispo te bendijo y bendijo a los presentes y concluyó con una oración especial. *¿Qué le pidió el obispo a Dios para ti?*

____

____

____

Probablemente tienes otros recuerdos de ese día. Asegúrate de reflexionar en ellos y escribir algunas notas para que puedas recordarlos mientras continúas tu jornada de fe como discípulo de Cristo.

■ The whole community prayed together for you and for all the Church. *What were some of the specific intercessions that were prayed?*

____

____

____

■ The Mass continued with the Liturgy of the Eucharist. *Why was this an important part of the Confirmation celebration?*

____

____

____

■ The bishop blessed you and all those assembled, and concluded with a special prayer. *What did the bishop ask God to do for you?*

____

____

____

You probably have other memories of this day. Be sure to reflect on them and to write some notes so that you can recall them as you continue your journey of faith as Christ's disciple.

Take Five

Think of all of the technology you use to stay connected with others in the course of a day. With so much time spent staring at screens, sending and receiving messages, texting, posting, etc. you may be left with little time to spend by and for yourself. The development of a prayer-full life simply can't be achieved without a bit of "off-line" time. This calls for some time each day to "unplug" or turn off your smart phone, television, laptop, etc. Doing so allows some precious time to reflect on the events, encounters, and experiences that are part of your life. The ancient psalmist wrote, "Be still and confess that I am God!" (Psalm 46:11) It is an invitation as relevant today as it was centuries ago—the chance to pause in the course of a day to notice how God has blessed you, and how the Holy Spirit is present within us in the world around us. Give it a try.

For one week, take five minutes each day to sit in quiet reflection. At the end of the week, assess the benefits you experienced from reflecting each day. Would you consider making this a regular part of your day? Write your thoughts below.

Por medio de la Confirmación el Espíritu Santo nos fortalece para ser testigos.

Por el poder del Espíritu Santo, en la Confirmación fuiste fortalecido para vivir lo que celebraste. *¿Qué celebraste? ¿Cómo vas a vivir lo que celebraste?* Toma un momento para reflexionar en estas dos preguntas.

Ahora mira los siguientes puntos sobre *lo que has celebrado* y toma nota de como *vas a vivirlo.*

■ *Celebraste otro sacramento junto con toda la Iglesia, otro encuentro con Cristo. Dios llenó tu vida con su presencia. Puedes mostrar esto así:*

____

____

____

■ *Celebraste la realidad de que el Espíritu Santo fue derramado sobre ti. Tu vida ha cambiado. Te pareces más a Cristo. Puedes mostrar esto así:*

____

____

____

■ *Celebraste tu total iniciación en la Iglesia. Te comprometiste a ir a la Eucaristía y rezar con tu comunidad parroquial, y de la Eucaristía continuar sirviendo a otros en el nombre de Cristo. Puedes mostrar esto así:*

____

____

____

■ *Celebraste tu compromiso con Dios, con la Iglesia y con la fe que profesas. Expresaste tu fe en Dios el Padre, el Hijo y el Espíritu Santo. Puedes mostrar esto así:*

____

____

____

¿Hay otras cosas que te gustaría añadir y reflexionar? Si es así, asegúrate de hacerlo y tomar notas para que puedas ver de nuevo todas tus oportunidades de ser testigo de Cristo. Como vivas lo que has celebrado mostrarás a otros que fuiste ungido y llamado a ser "otro Cristo" en el mundo.

Through Confirmation the Holy Spirit strengthens us to witness.

Through the power of the Holy Spirit, at your Confirmation you were strengthened to live out what you celebrated. *But what did you celebrate? And how will you live out what you celebrated?* Take some time to reflect on these two questions.

Now look at the following points about *what you have celebrated*, and make notes on ways you intend to *live out what you have celebrated:*

■ *With the whole Church, you celebrated another sacrament, another encounter with Christ! God filled your life with his presence. You can show this to others by:*

____

____

____

■ *You celebrated the reality that the Spirit was poured out upon you. Your life is changed. You have become more like Christ. You can show this to others by:*

____

____

____

■ *You celebrated the completion of your initiation into the Church! You recommitted yourself to come to the Eucharist and pray with your parish community, and to go forth from the Eucharist to continue to serve others in Christ's name. You can show this to others by:*

____

____

____

■ *You celebrated your commitment to God, to the Church, and to the faith that you profess! You expressed your belief in God the Father, Son, and Holy Spirit. You can show this to others by:*

____

____

____

Are there any other things that you want to add and reflect on? If so, be sure to do so and to make some notes so that you can look back on all of your opportunities to witness to Christ. For the way that you live out what you have celebrated shows others that you were anointed and called to be "another Christ" to the world!

Personas santas

San Juan Bosco

Juan Bosco nació en Italia en 1815. De joven trabajó en un circo como malabarista y acróbata. Usó esos talentos para contar historias y entretener a otros.

Juan quería ser sacerdote. Como seminarista ayudó a niños huérfanos. Después de ser ordenado sacerdote continuó su trabajo con los jóvenes. También fundó la Sociedad Salesiana, una orden de sacerdotes. Los salesianos construyeron escuelas y talleres donde prepararon a jóvenes para trabajar en el mundo. Juan siguió su trabajo hasta su muerte. Fue canonizado en 1934 y se le dio el título de "Padre y maestro de los jóvenes". Visita *Vidas de santos* en: **www.inspiradosporelespiritu.com** para aprender más sobre él.

Conexión con el Catecismo

El *Catecismo de la Iglesia Católica* nota que: *"La caridad de Cristo es en nosotros la fuente de todos nuestros méritos ante Dios. La gracia, uniéndonos a Cristo con un amor activo asegura el carácter sobrenatural de nuestros actos y, por consiguiente, su mérito tanto ante Dios como ante los hombres"*. (*CIC*, 2011)

La Iglesia Católica siempre ha enseñado que nuestras buenas obras en la tierra son importantes. La gracia de Dios, trabajando en nosotros, nos permite cooperar en el trabajo de salvación de Jesús. Por medio del Bautismo somos salvos por nuestra fe en Dios y en su Hijo, Jesucristo, nuestro Salvador; también debemos expresar nuestra fe por medio de buenas obras. La Iglesia enseña que el don de Dios de la gracia nos da una *responsabilidad* para hacer buenas obras en la tierra, una *responsabilidad* de vivir vidas en la tierra como Jesús vivió la suya.

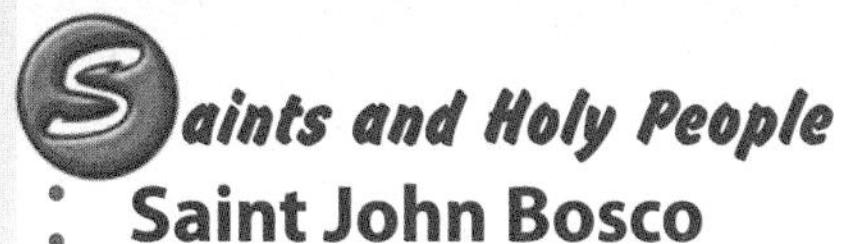

Saints and Holy People

Saint John Bosco

John Bosco was born in Italy in 1815. Circus performers taught young John how to juggle and do acrobatics. He used these skills and storytelling to entertain others.

John wanted to become a priest. As a seminarian, he helped orphaned boys. After John was ordained a priest, he continued his work with young people. He also founded an order of priests, the Salesians. The Salesians built trade schools and workshops where they prepared young people for the working world. John continued his work until his death. He was canonized in 1934 and was given the title, "Father and Teacher of Youth." Visit *Lives of the Saints* on **www.inspiredbythespirit.com** to find out more about him.

Catechism Connection

The Catechism of the Catholic Church states, *"The charity of Christ is the source in us of all our merits* before *God. Grace, by uniting us to Christ in active love, ensures the supernatural quality of our acts and . . . their merit before God and before men"* (CCC, 2011).

The Catholic Church has always taught that our good works on earth matter. God's grace, working through us, enables us to cooperate in Jesus' work of salvation. Through Baptism we are saved by our faith in God and in his Son, Jesus Christ, our Savior; but we also must express our faith through good works. The Church teaches that God's gift of grace gives us a *responsibility* to do good works on earth—a *responsibility* to live our earthly lives as Jesus lived his.

El Espíritu Santo continúa construyendo la Iglesia

La gracia es "infundida por el Espíritu Santo en nuestra alma para sanarla del pecado y santificarla" (*CIC*, 1999). En cada sacramento, por el Espíritu Santo recibimos la **gracia santificante**. Por ser la vida misma de Dios en nosotros nos permite responder a la presencia de Dios en nuestras vidas. Te permite vivir como Dios quiere que vivas, amando a Dios y a los demás como lo hizo Jesús. Así que recibir los sacramentos es vital para tu discipulado.

Otra forma en que el Espíritu Santo está activo en nuestras vidas es por medio de las **gracias actuales**. Gracias actuales son intervenciones de Dios en nuestras vidas diarias, la presencia del Espíritu Santo que te ayuda a hacer el bien y profundizar tu relación con Cristo. Animado por el Espíritu Santo, respondes a sus dones: sabiduría, entendimiento, consejo, fortaleza, conocimiento, piedad y temor de Dios. Cuando respondemos a ellos algunos hábitos se hacen evidentes en nuestras vidas. Entre ellos están: caridad, gozo, paz, paciencia, bondad, longanimidad, benignidad, mansedumbre, fidelidad, modestia, continencia y castidad. *El Catecismo de la Iglesia Católica* lista estas virtudes—hábitos y fime disposición de hacer el bien—como frutos del Espíritu Santo. (Ver *CIC*, 1832)

El Espíritu Santo también trabaja en la Iglesia otorgándole **carismas**, dones especiales que son dados para construir la Iglesia y para el bienestar del pueblo. Como leemos en la carta de san Pablo a los corintios: "Hay diversidad de carismas, pero el Espíritu es el mismo. Hay diversidad de servicios, pero el Señor es el mismo. Hay diversidad de actividades, pero uno mismo es el Dios que activa todas las cosas en todos. A cada cual se le concede la manifestación del Espíritu para el bien de todos. Porque a uno Dios, a través del Espíritu, le concede hablar con sabiduría, mientras que a otro, gracias al mismo Espíritu, le da un profundo conocimiento. Por el mismo Espíritu, Dios concede a uno el don de la fe, a otro el carisma de curar enfermedades, a otro el poder de realizar milagros, a otro el hablar de parte de Dios, a otro el distinguir entre espíritus falsos y verdaderos, a otro el hablar en lenguaje misterioso y a otro, en fin, el don de interpretar ese lenguaje. Todo esto lo hace el mismo y único Espíritu, que reparte a cada uno sus dones como él quiere". (1 Corintios 12: 4–11)

Diana Ong, Crowd XVI (circa 1992, private collection)

The Holy Spirit continually builds up the Church

Grace is a gift that is "infused by the Holy Spirit into our soul to heal it of sin and to sanctify it" (*CCC*, 1999). In each sacrament, through the power of the Holy Spirit, you receive **sanctifying grace**. Because it is God's own life within you, it enables you to respond to his presence in your life. It enables you to live as God wants you to—loving God and others as Christ did. Thus, the reception of the sacraments is vital to your discipleship.

Another way that the Holy Spirit is active in your life is through **actual graces**. Actual graces are interventions of God in your daily life—the urgings or promptings from the Holy Spirit that help you to do good and to deepen your relationship with Christ. Urged by the Holy Spirit, you respond to his gifts—wisdom, understanding, counsel, fortitude, knowledge, piety, and fear of the Lord. And when you respond certain good habits are evidenced in your life. Among these are: charity, joy, peace, patience, kindness, goodness, generosity, gentleness, faithfulness, modesty, self-control, and chastity. The *Catechism of the Catholic Church* lists these—habits and firm dispositions to do good—or virtues, as the fruits of the Holy Spirit (see *CCC*, 1832).

The Holy Spirit also works in the Church by bestowing **charisms**, special gifts that are given for the building up of the Church and for the good of all people. As we read in this letter of Saint Paul, "there are different kinds of spiritual gifts but the same Spirit; there are different forms of service but the same Lord; there are different workings but the same God who produces all of them in everyone. To each individual the manifestation of the Spirit is given for some benefit. To one is given through the Spirit the expression of wisdom; to another the expression of knowledge according to the same Spirit; to another faith by the same Spirit; to another gifts of healing by the one Spirit; to another mighty deeds; to another prophecy; to another discernment of spirits; to another varieties of tongues; to another interpretation of tongues. But one and the same Spirit produces all of these, distributing them individually to each person as he wishes" (1 Corinthians 12:4–11).

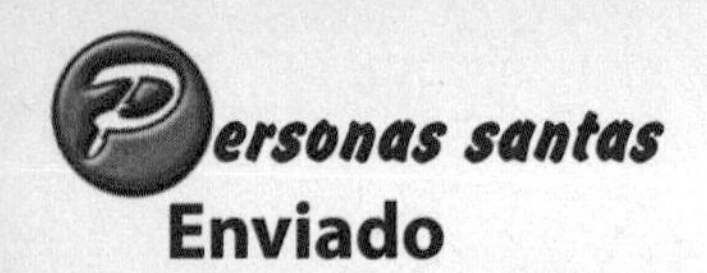

Personas santas

Enviado

Durante la preparación para la Confirmación aprendiste sobre hombres y mujeres inspirados por el Espíritu, quienes vivieron vidas de servicio a la Iglesia. Ellos son tus antepasados en la fe. ¿Quién fue especialmente un poderoso ejemplo para ti? ¿Por qué?

____

____

Igual que tus antepasados en la fe, eres llamado a ser una inspiración para otros con tu vida de testimonio y servicio. En su encíclica, *Spe Salvi, Salvados por la esperanza*, el papa Benedicto XVI nos recuerda que una parte importante de servir a otros es ofrecerles esperanza. Expresó también que debemos preguntarnos ¿qué debemos hacer para que otros puedan servir y alcanzar la estrella de la esperanza?

¿Cuáles son algunas formas en que puedes llevar un mensaje de esperanza a tu familia, tu Iglesia y el mundo?

Diferentes miembros de la Iglesia reciben diferentes carismas como el Espíritu Santo lo quiere. Así que tienes un don especial para contribuir al trabajo de la comunidad de fe y tu don especial, o carisma, debe estar: "al servicio de la caridad, que edifica la Iglesia" (*CIC*, 2003). Asegúrate de rezar o escuchar el trabajo del Espíritu en tu vida. Tus dones son importantes en la construcción del cuerpo de Cristo, la Iglesia en el mundo hoy.

¿Qué es un carisma?

¿Has escuchado alguna vez describir a alguien como "carismático"? Esto quiere decir que esa persona tiene un don especial o cualidad que atrae a otros. Un líder carismático inspira a la gente con sus palabras, obras y compromiso con sus principios. En la Iglesia, una persona con "carisma" es alguien agraciado por el Espíritu Santo para construir la Iglesia, servir a las necesidades del mundo y atraer a otros a Cristo.

¿A quién ves en la Iglesia hoy que te atrae a Cristo?

Llamado a los Confirmados

¿Cuál es una forma en que un joven confirmado puede usar los dones del Espíritu Santo para construir la Iglesia hoy?

____

____

____

____

____

____

____

____

____

____

____

Different members of the Church receive different charisms as the Holy Spirit sees fit. Thus, you have a special gift to contribute to the work of the faith community. And your special gift, or charism, is "at the service of charity which builds up the Church" (*CCC*, 2003). So be sure to pray and listen to the workings of the Spirit in your life. Your gifts are important to the building up of the Body of Christ—his Church in the world today!

What is a Charism?

Have you ever heard someone described as "charismatic"? It means that he or she has a particular charm or a magnetic quality that is attractive to others. Charismatic leaders inspire people through their words, actions, and commitment to their principles. In the Church, a person with a "charism" is one who has been especially graced by the Holy Spirit to build up the Church, to serve the needs of the world, and to attract others to Christ.

Whom do you see in the Church today who attracts you to Christ?

What is one way that confirmed young people can use the gifts of the Holy Spirit to build up the Church today?

Saints and Holy People

Going Forward

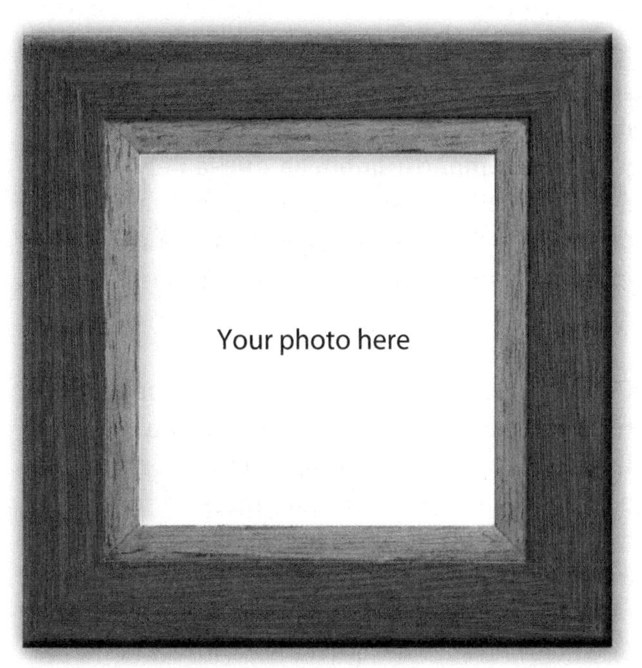

During preparation for Confirmation, you learned about the men and women, inspired by the Spirit, who have led lives of service to the Church. They are your ancestors in faith. Who was a particularly powerful example for you? Why?

You, like your ancestors in faith, are called upon to be an inspiration to others through your life of witness and service. In his encyclical on hope, *Spe Salvi* (*Saved in Hope*), Pope Benedict XVI reminds us that an important part of serving others is offering them hope. He wrote, "We should also ask: what can I do in order that others may be saved and that for them too the star of hope may rise?" (*Spe Salvi*, 48)

What are some ways you can bring a message of hope to your family, to your Church, and to the world?

Compartimos en la misión de la Iglesia.

Igual que los primeros discípulos, llamados a seguir a Jesús, tú también estás llamado a lo mismo. Al seguir a Jesús, tienes que tomar su misión y compartir la buena nueva del amor de Dios y trabajar junto a otros para predicar el reino de Dios. De una manera especial, por medio de tu confirmación, fuiste sellado con el Espíritu Santo, quien te guía en esa misión.

Celebrar los sacramentos, rezar, aprender sobre tu fe y conocer las leyes y las enseñanzas de la Iglesia te ayudarán a cumplir la misión que has aceptado. Esas partes importantes de tu vida cristiana te fortalecerán para vivir una vida de amor y servicio en la Iglesia.

Reconocer los dones que el Espíritu Santo te ha otorgado te permite seguir su guía y servir a Dios y a otros. Respondiendo a la gracia de Dios, practicando las virtudes y usando los carismas que se te han dado, puedes cumplir las tareas de tu misión:

- participando de la misa y los sacramentos
- llevando a otros a creer en Jesucristo como el Salvador del mundo
- llevando la sanación y el perdón de Jesús a otros
- viviendo una vida de oración, santidad y buenas obras
- trabajando para establecer la paz, la reconciliación y la justicia donde se necesite
- ayudando a los pobres, los enfermos, los que están solos, los oprimidos y rechazados
- proclamando, con todo lo que dices y haces, la buena nueva de la salvación.

Mira el ejemplo de la vida de Jesús. Puedes verlo: rezando y adorando a su Padre, valorando la vida de cada persona, buscando la paz y la justicia, viviendo con honestidad e integridad, apreciando la creación de Dios, atesorando la familia y los amigos, preocupándose del bienestar de la comunidad y acogiendo a todos sin excepción. Estas son algunas formas en puedes vivir tu vida. Cuando tu vida es un ejemplo del amor de Cristo atraes a otros a su amor por medio de tu amor a Dios y a los otros. Cuando Cristo venga de nuevo en gloria al final de los tiempos, el reino de Dios se cumplirá y seremos juzgados en como hemos aceptado la gracia y la vida de Dios.

Alimenta el reino de Dios por medio de tu fiel testimonio de la presencia de Cristo en el mundo. Predica activamente sobre el reino de Dios. Reza cada día: "Venga a nosotros tu reino" (*el Padrenuestro*). Responde a la presencia de Dios en tu vida y vive tu compromiso de discípulo y testigo. Al vivir tu misión, muestra que has cambiado por haber celebrado la Confirmación.

Escoge una de las actividades de la lista en la columna de la izquierda y diseña una página invitando a otros a unirse a ese esfuerzo.

We share in the mission of the Church.

Just as the first disciples were called to follow Jesus, you are too! In following him, you have taken on Jesus' mission of sharing the Good News of God's love and working together to spread God's Kingdom. And in a special way through your Confirmation you have been sealed with the Holy Spirit, who guides you in that mission.

Celebrating the sacraments, praying, learning about your faith, and knowing the laws and teachings of the Church will help you to carry out the mission that you have accepted. These important parts of your Christian life will strengthen you to live out a life of love and service in the Church.

Being attuned to the gifts that the Holy Spirit has bestowed on you enables you to follow his guidance and to serve God and others. And responding to God's grace, practicing the virtues, and using the charisms that you have been given, you can carry out the tasks of your mission by:

- participating in Mass and the sacraments
- leading others to believe in Jesus Christ as Savior of the world
- bringing Jesus' healing and forgiveness to others
- living a life of prayer, holiness, and good works
- working to establish peace, reconciliation, and justice where they are needed
- reaching out to those who are poor, sick, lonely, oppressed, and rejected
- proclaiming, by all you say and do, the Good News of salvation.

Look to the example of Jesus' life. You see him: praying to and worshiping his Father, valuing each person's life, seeking peace and justice, living with honesty and integrity, appreciating creation, cherishing family and friends, caring about the good of the community, and including everyone without exception. These are the ways that you must live your life! For when you become an instrument of Christ's love you draw others to his love through your love of God and others! When Christ comes again in glory at the end of time, God's Kingdom will be fulfilled and we will be judged on our acceptance of God's grace and love.

Nourish God's Kingdom by your faithful witness to Christ's presence in the world. Take an active part in spreading God's Kingdom. And each day pray, "Thy kingdom come" (*Lord's Prayer*). Respond to the presence of God in your life and live out your commitment to discipleship and witness! And living out your mission—show that you have been changed by your reception of the Sacrament of Confirmation!

Choose one of the bulleted items and design a social networking page that invites others to join you in this work.

Atención en la Escritura

"Jesús les dijo de nuevo: 'La paz esté con ustedes'. Y añadió: 'Como el Padre me ha enviado, yo también los envío a ustedes'" (Juan 20:21). Jesús dijo esas palabras a sus discípulos la tarde de su resurrección. Piensa en como el Espíritu Santo inspiró a esos discípulos para trabajar por la misión de Jesús. Piensa en como el Espíritu Santo puede guiarte mientras trabajas por la misión de Jesús.

Conexión con la liturgia

Por medio de la Iglesia el Espíritu Santo administra el misterio de salvación. En toda celebración litúrgica, el Espíritu Santo está activamente presente. Realzas tu relación con el Espíritu Santo mientras participas en la misa y en los sacramentos y vives los tiempos litúrgicos: Adviento, Navidad, Cuaresma, Triduo, Pascua y Tiempo Ordinario. Durante esos tiempos, la Iglesia celebra toda la vida de Cristo y participa como prueba, en la liturgia celestial. La Iglesia también recuerda a los santos, quienes fueron testigo de Cristo.

Cada domingo eres alimentado con la palabra de Dios, el sacramento de la Eucaristía y por los fieles de la Iglesia. La Escritura es el "pan diario" que sostiene a Cristo dentro de ti. En la mesa del Señor descubre que no estás solo en la misión de Cristo: eres miembro del cuerpo de Cristo, la Iglesia.

Prepárate para cada celebración litúrgica leyendo la Escritura que será proclamada y reflexionando en como puedes aplicar el mensaje a tu vida. Puede encontrar las lecturas de los domingos en: wwwinspiradosporelespiritu.com.

El Espíritu Santo: Guía e inspiración de la misión de la Iglesia

El Espíritu Santo es la fuente de la vida de la Iglesia. El Espíritu Santo actúa por medio de los líderes de la Iglesia, el papa y los obispos, y por medio de sus enseñanzas, el Magisterium. El Espíritu Santo también trabaja por medio de los sacramentos. Pero el Espíritu Santo, con quien has sido sellado, también actúa por medio de ti. El Espíritu Santo te guía e inspira para ser testigo de Jesucristo y para llevar a cabo su trabajo de compartir la buena nueva con aquellos con quienes te encuentres cada día. Al vivir lo que has celebrado en la Confirmación—el don del Espíritu Santo—tocas a otros con la presencia y el amor de Dios. Con pequeños actos de bondad y en generosos actos de servicio haces real el reino de Dios en tu mundo hoy. Y en cada buena obra y acto que hagas, el Espíritu Santo estará contigo.

The Holy Spirit: Guide and Inspiration of the Church's Mission

The Holy Spirit is the source of the Church's life. The Holy Spirit acts through the leaders of the Church, the Pope and the bishops and through their teaching office, the Magisterium, and the Holy Spirit works in the sacraments. But the Holy Spirit, with whom you have been sealed, acts through you as well. The Holy Spirit offers guidance and inspires you to be a witness to Jesus Christ and to carry on his work by sharing the Good News with those whom you encounter each day. As you live what you have celebrated in Confirmation—the Gift of the Holy Spirit—you touch others with God's presence and love. In small acts of kindness and in generous gestures of service you make the Kingdom of God real in our world today. And in every good word and act you perform, the Holy Spirit is with you!

Spotlight on Scripture

"[Jesus] said to them again, 'Peace be with you. As the Father has sent me, so I send you.'" (John 20:21) Jesus spoke these words to his disciples on the evening of his Resurrection. Think of how the Holy Spirit inspired these disciples to work for the mission of Jesus. Think of how the Holy Spirit can guide you as you work for the mission of Jesus.

Liturgy Connection

Through the Church, the Holy Spirit dispenses the mystery of salvation. In every liturgical celebration, the Holy Spirit is present active. You enhance your relationship with the Holy Spirit as you participate in the Mass and the sacraments and as you live the liturgical seasons: Advent, Christmas, Lent, Triduum, Easter, and Ordinary Time. Through these seasons, the Church celebrates the whole of Christ's life and participates, as by a foretaste, in the heavenly liturgy. The Church also remembers the saints who have witnessed to Christ.

Each Sunday, you are nourished by God's Word, the Sacrament of the Eucharist, and by the faithful people of the Church. The Eucharist is the "daily bread" that sustains Christ within you. At the Lord's Table you discover that you are not alone in Christ's mission—you are members of the Body of Christ, the Church.

Prepare for each liturgical celebration by reading the Scripture that will be proclaimed, and reflect on the ways you can apply the messages to your life. You can find the Sunday readings at **www.inspiredbythespirit.com**.

Oración

Todos: En el nombre del Padre, y del Hijo, y del Espíritu Santo. Amén.

Líder: Dios, Padre nuestro, envía tu Espíritu Santo para que nos haga testigo ante el mundo.

Todos: Espíritu de verdad, haznos testigos.

Lector: Lectura de la carta de san Pablo a los efesios.

"... Les ruego que, como corresponde a la vocación a la que han sido llamados, se comporten con gran humildad, amabilidad y paciencia, acepatándose mutuamente con amor. Preocúpense de conservar, mediante el vínculo de la paz, la unidad que es fruto del Espíritu, como también es una la esperanza que encierra la vocación a la que han sido llamados; un solo Señor, una fe, un bautismo".

(Efesios 4: 1–5)

Palabra de Dios.

Todos: Te alabamos, Señor.

Grupo 1: Espíritu Santo, inspíranos a vivir lo que hemos celebrado en el sacramento de la Confirmación.

Todos: Espíritu de verdad, haznos testigos.

Grupo 2: Espíritu Santo, inspiramos a vivir una vida de oración, santidad y buenas obras.

Todos: Espíritu de verdad, haznos testigos.

Grupo 1: Espíritu Santo, inspiramos a trabajar para establecer la paz, la reconciliación y la justicia donde se necesite.

Todos: Espíritu de verdad, haznos testigos.

Grupo 2: Espíritu Santo, inspiramos a llegar a los pobres, los enfermos, los que están solos, oprimidos y rechazados.

Todos: Espíritu de verdad, haznos testigos.

Espíritu Santo, inspíranos a proclamar, con lo que decimos y hacemos, la buena nueva de la salvación.

Amén.

Let Us Pray

All: In the name of the Father, and of the Son,
and of the Holy Spirit. Amen.

Leader: God our Father, send your Holy Spirit to make us witnesses before the world.

All: Spirit of truth, make us witnesses.

Reader: A reading from the Letter of Paul to the Ephesians.
"I . . .urge you to live in a manner worthy of the call you have received, with all humility and gentleness, with patience, bearing with one another through love, strivingto preserve the unity of the spirit through the bond of peace: one body and one Spirit, as you were also called to the one hope of your call; one Lord, one faith, one baptism."
(Ephesians 4:1–5)

The word of the Lord.

All: Thanks be to God.

Group 1: Holy Spirit, inspire us to live out what we have celebrated in the Sacrament of Confirmation.

All: Spirit of truth, make us witnesses.

Group 2: Holy Spirit, inspire us to live a life of prayer, holiness, and good works.

All: Spirit of truth, make us witnesses.

Group 1: Holy Spirit, inspire us to work to establish peace, reconciliation, and justice where they are needed.

All: Spirit of truth, make us witnesses.

Group 2: Holy Spirit, inspire us to reach out to those who are poor, sick, lonely, oppressed, and rejected.

All: Spirit of truth, make us witnesses.
Holy Spirit, inspire us to proclaim, by all we say and do,
the Good News of salvation.
Amen.

Enviado

COMUNIDAD

San Irineo escribió: "la gloria de Dios es el hombre totalmente vivo". Cuando la persona humana—hombre o mujer—vive una vida plena como Dios lo intentó, la gloria de Dios brilla en ellos. Como confirmado católico, Dios brilla a través de ti en tu vida de fe, por medio de tus decisiones, comportamiento y actitudes hacia los demás.

La Iglesia nos ayuda a vivir plenamente alimentándonos con la Escritura y los sacramentos, y conforme nos unimos a otros miembros de la Iglesia que sirven a los necesitados. Podemos ver la gloria de Dios y sentir su presencia cuando la Iglesia llega los pobres o alienados o las victimas de tragedias.

¿Cómo mostrarás la gloria y el amor de Dios a los necesitados?

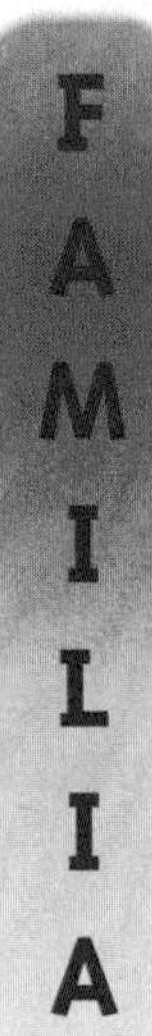

FAMILIA

Haz una encuesta en tu familia o planifica un tiempo especial en familia para reflexionar y/o dialogar sobre:

- ¿Qué significa la Confirmación para ti?
- ¿Cómo has cambiado desde que fuiste sellado con el don del Espíritu Santo?
- ¿Cómo ha profundizado tu fe?
- ¿Cómo muestras a otros que has aceptado la responsabilidad de promover la justicia y la paz y vivir una vida centrada en Jesús?

PADRINOS

Los confirmados católicos que dan testimonio de la presencia de Jesús en sus vidas pueden crear un efecto constante que continúa el trabajo de Jesús.

Conversa con tu padrino o madrina sobre lo que esperas alcanzar como confirmado católico. Escribe una oración que exprese tu esperanza. Después haz un plan paso a paso para ayudarte a alcanzar tu meta.

Juntos recen para que el Espíritu Santo los guíe mientras comparten la misión de Cristo.

Has sido ungido y llamado a ser "otro Cristo" en el mundo. Ve y hazlo.

Go Forth

COMMUNITY

Saint Irenaeus wrote, "The glory of God is man fully alive." When a human person—man or woman—is living life fully as God intended, the glory of God shines through them. As a confirmed Catholic, God shines through you as you live your faith, through your decisions, your behavior, and your attitude toward others.

The Church helps us to live fully as she nourishes us with Scripture and the sacraments, and as we join with other Church members to serve those in need. We can see the glory of God and feel God's presence when the Church reaches out to those who are poor or alienated or the victims of tragedy.

How will you show the glory and love of God to those in need?

FAMILY

Take a family survey or plan a special family time to reflect on and discuss:

- What did Confirmation mean to you?
- How have you been changed since being sealed with the Gift of the Holy Spirit?
- How has it deepened your faith?
- In what ways do you show others that you have accepted the responsibility to promote justice and peace, and to live a life centered in Jesus?

SPONSOR

Confirmed Catholics who witness to the presence of Jesus in their lives can create an ongoing effect that continues the work of Jesus.

Talk with your sponsor about what you hope to accomplish as a confirmed Catholic. Write a sentence that states your hope. Then, make a step-by-step plan to help you accomplish this goal.

Pray together that the Holy Spirit will guide you as you share in the mission of Christ.

You were anointed and called to be "another Christ" in the world. Go forth!

Confirmación P y R

P: ¿Quién es el Espíritu Santo?

R: El Espíritu Santo es Dios, la tercera Persona de la Santísima Trinidad.

P: ¿Cómo mostró el Espíritu Santo su presencia en la vida de Jesús?

R: El Espíritu Santo estuvo presente en la concepción; el Espíritu descendió sobre Jesús en forma de paloma durante su bautismo; el Espíritu Santo estuvo con Jesús en el desierto cuando él rezó y ayunó durante cuarenta días.

P: ¿Qué es el reino de Dios?

R: El reino de Dios es el poder del amor de Dios activo en nuestras vidas y nuestro mundo.

P: ¿Cómo se reveló la Santísima Trinidad?

R: Durante el bautismo de Jesús, Dios el Padre en la voz desde el cielo, Dios el Hijo en Jesús mismo; Dios el Espíritu Santo en forma de paloma. En la transfiguración, Dios el Padre en la voz; Dios el Hijo en Jesús mismo; Dios el Espíritu Santo en una nube brillante.

P: ¿Cuál es el significado de la ascensión de Jesucristo?

R: La ascensión de Jesucristo significa que desde el momento de la ascensión, Jesús está con el Padre en el cielo y también con nosotros por siempre, por medio del Espíritu Santo.

P: ¿Qué sucedió en Pentecostés?

R: En Pentecostés el Espíritu Santo vino a los apóstoles y a otros discípulos. Ellos fueron fortalecidos para proclamar la buena nueva de Cristo a la multitud en Jerusalén. Alrededor de 3,000 personas fueron bautizadas en la Iglesia.

P: ¿Cuál es el rito esencial de la Confirmación?

R: El rito esencial de la Confirmación es la unción en la frente del candidato con santo crisma junto con la imposición de la mano por parte del ministro mientras dice las palabras: "Recibe por esta señal el don del Espíritu Santo".

P: ¿Cómo se relacionan los sacramentos del Bautismo y la Confirmación?

R: En el sacramento del Bautismo recibimos del don del Espíritu Santo y en el sacramento de la Confirmación somos ungidos y sellados con el Espíritu Santo.

P: ¿Qué es la Iglesia?

R: La Iglesia es la asamblea del pueblo de Dios—la comunidad de personas que creen en Jesucristo, han sido bautizadas en él y siguen sus enseñanzas.

Confirmation Q & A

Q: Who is the Holy Spirit?

A: The Holy Spirit is God, the Third Person of the Blessed Trinity.

Q: In what ways did the Holy Spirit show his presence throughout the life of Jesus?

A: The Holy Spirit was present at Jesus' conception; the Spirit descended upon Jesus in bodily form like a dove at Jesus' baptism; the Holy Spirit was with Jesus in the desert where he prayed and fasted for forty days.

Q: What is the Kingdom of God?

A: The Kingdom of God is the power of God's love active in our lives and in our world.

Q: How was the Blessed Trinity revealed?

A: At Jesus' baptism—God the Father in the voice from Heaven; God the Son in Jesus himself; God the Holy Spirit in a form like a dove. At the Transfiguration—God the Father in the voice; God the Son in Jesus himself; God the Holy Spirit in a shining cloud.

Q: What did the Ascension of Jesus signify?

A: The Ascension of Jesus Christ signifies that from the moment of his Ascension, Jesus is with the Father in Heaven, and is also with us forever, through the Holy Spirit.

Q: What happened on Pentecost?

A: On Pentecost the Holy Spirit came to the Apostles and other disciples. They were empowered to proclaim the Good News of Christ to the crowds in Jerusalem. About 3,000 people were baptized into the Church.

Q: What is the essential rite of Confirmation?

A: The essential rite of Confirmation is the anointing of the candidate's forehead with Sacred Chrism together with the laying on of the minister's hand as he says the words, "Be sealed with the Gift of the Holy Spirit."

Q: How are the Sacraments of Baptism and Confirmation connected?

A: In the Sacrament of Baptism we receive the Gift of the Holy Spirit, and in the Sacrament of Confirmation we are anointed and sealed with the Holy Spirit.

Q: What is the Church?

A: The Church is the assembly of God's People—the community of people who believe in Jesus Christ, have been baptized in him, and follow his teachings.

P: ¿Cuáles son los sacramentos de iniciación cristiana?

R: Los sacramentos de iniciación cristiana son Bautismo, Confirmación y Eucaristía.

P: ¿Cuáles son los efectos de recibir los sacramentos de iniciación cristiana?

R: Después de recibir los sacramentos de iniciación cristiana somos totalmente iniciados en Cristo y la Iglesia. Somos llamados a una vocación común de santidad y a la misión de evangelizar el mundo.

P: ¿Cuál es la misión de la Iglesia?

R: La misión de la Iglesia es la misión de evangelizar el mundo.

P: ¿Por qué generalmente el obispo es el celebrante de la Confirmación?

R: El obispo es generalmente el celebrante de la Confirmación porque su administración del sacramento une más a los que reciben el sacramento a la Iglesia y su origen apostólico.

P: ¿Qué significa hacer obras de apostolado?

R: Las obras de apostolado de un candidato significan un compromiso de ser testigo de Cristo en la vida diaria.

P: ¿Por qué es importante celebrar el sacramento de la Reconciliación antes de la Confirmación?

R: Los candidatos a la Confirmación deben estar en estado de gracia, libre de pecados serios y llenos de gracia para estar totalmente receptivos a los efectos de la Confirmación.

P: ¿Qué son los dones del Espíritu Santo?

R: Los dones del Espíritu Santo son: sabiduría, inteligencia, consejo, fortaleza, ciencia, piedad y temor de Dios.

P: ¿Por qué generalmente la Confirmación tiene lugar dentro de una misa?

R: La Confirmación generalmente tiene lugar dentro de una misa para que el pueblo vea la relación fundamental con toda la iniciación cristiana y porque la iniciación cristiana alcanza su culminación en el sacramento de la Eucaristía.

P: ¿Por qué renovamos nuestras promesas de bautismo en la Confirmación?

R: Renovamos nuestras promesas de bautismo en la Confirmación para reafirmar la fe que fue profesada en el Bautismo.

P: ¿Cuál es la importancia de la imposición de las manos por el obispo y otros sacerdotes concelebrantes de la Confirmación?

R: La imposición de las manos por el obispo y los demás sacerdotes concelebrantes de la Confirmación es importante porque nos ayuda a tener un conocimiento claro del significando del origen de la Confirmación.

Q: What are the Sacraments of Christian Initiation?

A: The Sacraments of Christian Initiation are Baptism, Confirmation, and Eucharist.

Q: What are the effects of receiving the Sacraments of Christian Initiation?

A: After receiving the Sacraments of Christian Initiation, we are fully initiated into Christ and the Church. We are called to a common vocation of holiness and to the mission of evangelizing the world.

Q: What is the mission of the Church?

A: The mission of the Church is the mission of evangelizing the world.

Q: Why is the bishop the usual celebrant of Confirmation?

A: The bishop is the usual celebrant of Confirmation because his administration of the sacrament unites those who receive the sacrament more closely to the Church and her apostolic beginnings.

Q: What does performing works of service signify?

A: The candidates' works of service signify commitment to giving witness to Christ in daily life.

Q: Why is it important to receive the Sacrament of Penance before Confirmation?

A: Candidates for Confirmation must be in the state of grace, free of serious sin and filled with grace in order to be fully open to the effects of Confirmation.

Q: What are the gifts of the Holy Spirit?

A: The gifts of the Holy Spirit are: wisdom, understanding, counsel, fortitude, knowledge, piety, and fear of the Lord.

Q: Why does Confirmation usually take place within the Mass?

A: Confirmation usually takes place within Mass in order that people see the fundamental connection with all Christian Initiation and because Christian Initiation reaches its culmination in the Sacrament of the Eucharist.

Q: Why do we renew our baptismal promises at Confirmation?

A: We renew our baptismal promises at Confirmation to reaffirm the faith that was professed at Baptism.

Q: What is the importance of the Laying on of Hands by the bishop and the other priest-celebrants in Confirmation?

A: The Laying on of Hands by the bishop and the other priest-celebrants is important because it helps to give us a clearer understanding of the meaning of the origin of Confirmation.

P: ¿Cómo el obispo confiere el sacramento de la Confirmación a cada candidato?

R: El obispo confiere a cada candidato posando su mano en la frente del candidato y trazando la señal de la cruz con santo crisma y lo llama por su nombre diciendo: "Recibe el don del Espíritu Santo".

P: ¿Cuáles son los frutos del Espíritu Santo?

R: Los frutos del Espíritu Santo son: caridad, gozo, paz, paciencia, longanimidad, bondad, benignidad, mansedumbre, fidelidad, modestia, continencia y castidad.

P: ¿Qué es la gracia santificante?

R: Gracia santificante es la gracia que recibimos en los sacramentos.

P: ¿Qué son gracias actuales?

R: Gracias actuales son estímulos del Espíritu Santo que nos ayudan a hacer el bien y a aumentar nuestra relación con Cristo.

P: ¿Qué es un sacramento?

R: Un sacramento es un signo efectivo dado por Jesús por medio del cual compartimos en la vida de Dios.

P: ¿Qué es la Escritura?

R: La Escritura es el registro escrito de la revelación de Dios y su relación con su pueblo.

P: ¿Qué es la Tradición?

R: La Tradición es la revelación de la buena nueva de Jesucristo como la vivió la Iglesia en el pasado y la vive en el presente.

P: ¿Cuál es el papel del papa?

R: El papa es el obispo de Roma, sucesor del apóstol Pedro. El papa tiene una responsabilidad especial de dirigir y guiar a toda la Iglesia Católica.

P: ¿Cuáles son las características de la Iglesia?

R: Las características de la Iglesia son cuatro: una, santa, católica y apostólica.

P: ¿Cuáles son las virtudes teologales?

R: Las virtudes teologales son fe, esperanza y caridad.

P: ¿Qué es la comunión de los santos?

R: La comunión de los santos es la unión de todos los bautizados miembros de la Iglesia en la tierra, el cielo y el purgatorio.

Q: How does the bishop confer the Sacrament of Confirmation on each candidate?

A: The bishop confers each candidate by laying his hand on the candidate's head and tracing the sign of the cross on the candidate's forehead with Sacred Chrism, while calling the candidate by name and saying, "Be sealed with the Gift of the Holy Spirit."

Q: What are the fruits of the Holy Spirit?

A: The fruits of the Holy Spirit are: charity, joy, peace, patience, kindness, goodness, generosity, gentleness, faithfulness, modesty, self-control, and chastity.

Q: What is sanctifying grace?

A: Sanctifying grace is the grace that we receive in the sacraments.

Q: What are actual graces?

A: Actual graces are the urgings or promptings from the Holy Spirit that help us to do good and to deepen our relationship with Christ.

Q: What is a sacrament?

A: A sacrament is an effective sign given to us by Jesus Christ through which we share in God's life.

Q: What is Scripture?

A: Scripture is the written record of God's Revelation and his relationship with his people.

Q: What is Tradition?

A: Tradition is the Revelation of the Good News of Jesus Christ as lived out in the Church, past and present.

Q: What is the role of the pope?

A: The pope is the Bishop of Rome, the successor of the Apostle Peter. The pope has the special responsibility of leading and guiding the whole Catholic Church.

Q: What are the marks of the Church?

A: The marks of the Church are the four characteristics of the Church: one, holy, catholic, and apostolic.

Q: What are the theological virtues?

A: The theological virtues are faith, hope, and love.

Q: What is the Communion of Saints?

A: The Communion of Saints is the union of all the baptized members of the Church on earth, in Heaven, and in Purgatory.

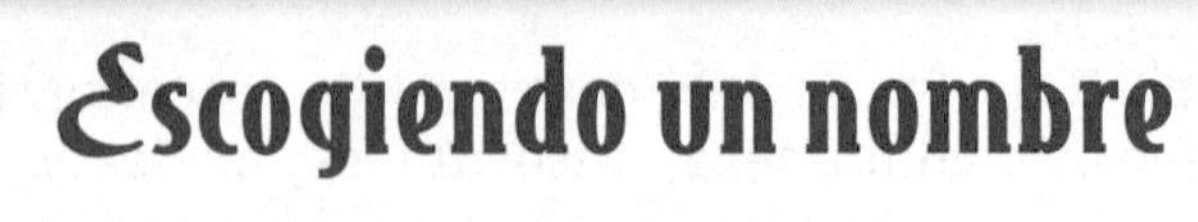

Escogiendo un nombre

Tu nombre es parte importante de pertenecer a una familia y a la comunidad cristiana. Cuando te bautizaron, a tus padres y padrinos se les pidió presentarte por *tu nombre* para el sacramento. Para el sacramento de la Confirmación se te pide reafirmar tu nombre de bautismo o escoger el nombre de un santo cuyo ejemplo deseas seguir. Algunos candidatos escogen el nombre de un familiar que ellos admiran y quien también representa un modelo de testimonio cristiano.

En esta decisión debes incluir a tu familia y padrino. Estas son algunas cosas que te pueden ayudar a escoger tu nombre de confirmación.

- Habla con tus padres u otras personas en tu familia sobre tu propio nombre.

  ¿De dónde viene?

  ____

  ¿Por qué tus padres te pusieron ese nombre?

  ____

  Si tienes el nombre de un santo investiga quien fue y como vivió su vida de fe.

- Si decides tomar otro nombre, conversa con tu padrino o madrina, tu catequista o miembros de tu familia sobre nombres de santos. ¿Hay alguno que muestra fortaleza espiritual o un don que te inspira? Puede ser alguien que defiende su fe, está comprometido a servir a los pobres y vive una vida de oración o dedicación a la justicia social.

- Toma tiempo para rezar sobre esto. Pide a tu familia y padrino rezar por tu decisión. Esa oración te ayudará a tomar una buena decisión.

Choosing a Name

Being given a name is a significant part of belonging to a family and to the Christian community. When you were baptized, your parents and godparents were asked to present you *by name* for the sacrament. For the Sacrament of Confirmation, you are asked to reaffirm your baptismal name or to choose the name of a saint whose example you wish to follow. Some candidates pick the name of a relative whom they admire and who also represents a model of Christian witness.

This is a decision that should include your family and sponsor. As you choose your name for Confirmation, here are some ideas that might help you:

■ Talk to your parents or someone else in your family about your own name.

Where did it come from?

____

Why did your parents give you this name?

____

If you share the same name as a saint, do some research into who the saint was and how he or she lived out his or her faith.

■ If you decide to take another name, talk to your sponsor, your catechist, or members of your family about the names of saints. Is there one who shows a particular spiritual strength or gift that inspires you? This might be someone who takes a strong stand for his or her faith, a commitment to serving the poor, a prayerful life, or a dedication to social justice.

■ Give yourself time to pray about this. Ask your family and sponsors to pray for your decision as well. Such prayer will most certainly lead you to making a good decision.

Padrinos

Escogiendo padrinos

Una cosa importante que harás al prepararte para la Confirmación es escoger un padrino o una madrina. Para poner énfasis en el lazo entre el Bautismo y Confirmación, la Iglesia recomienda escoger uno de los padrinos de bautismo. Los padrinos tienen que ser católicos mayores de 16 años y haber recibido los sacramentos de iniciación cristiana. Esto quiere decir que debes escoger a alguien que es fiel discípulo de Jesucristo, a quien conoces, en quien confías y a quien respetas. Mientras decides en la selección de tu padrino o madrina, hay otras consideraciones que debes tener presente:

- Reunirte con tu padrino o madrina en varios momentos durante el tiempo en que te estás preparando para la Confirmación. Así que debes escoger a alguien que esté disponible para reunirse contigo, ya sea personalmente, por teléfono, email o video.
- El reunirte con tu padrino o madrina te dará la oportunidad de conversar sobre lo que estás aprendiendo en las sesiones para la Confirmación, hacer preguntas y rezar juntos. Es importante que te sientas cómodo con tu padrino o madrina. 
- Durante la celebración de la Confirmación tu padrino o madrina te presentará al obispo para la unción. Los padrinos deben estar presentes para la celebración de la Confirmación y otros eventos especiales. Si esto no es posible, alguien puede tomar su lugar.
- Tus padres y familiares pueden tener ideas acerca de personas que puedes considerar como padrinos. Busca su ayuda y guía así como sus oraciones mientras tomas tu decisión.

Relación con los padrinos

Es importante tener reuniones frecuentes con tu padrino o madrina como parte de la preparación para la Confirmación. Estas son cinco ideas para mantenerse en contacto:

1. Tener una reunión después de cada sesión de Confirmación ya sea personal, por teléfono o video. Eso mantiene frescas las preguntas en tu mente y te ayuda a reflexionar en lo que has aprendido. Reuniones frecuentes también te ayudarán a conocer mejor a tu padrino o madrina.
2. Compartir información con los padrinos. Esto incluye fechas y momentos de eventos especiales en la parroquia y la celebración de la Confirmación, así como otros materiales relacionados con los padrinos y la parroquia.
3. Compartir ideas y preguntas. Algunas de estas pueden surgir en las sesiones con otros candidatos. Otras pueden surgir de un servicio, un retiro o una reunión.
4. Planificar un tiempo especial para reunirte con tu padrino o madrina antes de la celebración de la Confirmación. Deja que ese sea un tiempo de oración o una oportunidad de hacer preguntas adicionales que tengas sobre la Confirmación.
5. Reunirte con tu padrino o madrina después de la Confirmación para conversar sobre la experiencia y sobre cómo puede continuar apoyando tu fe. Si quieres puedes usar algunas de la preguntas del capítulo 6 durante ese tiempo.

Sponsor

Choosing Your Sponsor

One of the most important things you will do as you prepare for the Sacrament of Confirmation is choose your sponsor. To emphasize the link between Baptism and Confirmation, the Church recommends that one of your godparents take on the role of sponsor. A sponsor needs to be a Catholic who is at least sixteen years of age and who has received the Sacraments of Christian Initiation. This person might be a friend, someone from the parish, or a relative other than a parent.

This decision takes thought, prayer, and consultation with others. A sponsor offers spiritual guidance and serves as an example of Christian living. This means you will want to pick someone who is a faithful disciple of Jesus Christ whom you know, trust, and respect. As you make your selection of a sponsor, here are some other considerations to keep in mind:

■ You will be meeting with your sponsor at various points during the time you are preparing for Confirmation. Therefore, you will want to choose someone who is available for these meetings, either in person or by phone, email, or video chat.

■ Meetings with your sponsor will give you a chance to talk about what you are learning in the Confirmation sessions, to ask questions, and to pray together. It is important that you feel comfortable with your sponsor to engage in such conversation.

■ During the celebration of Confirmation, your sponsor will present you to the bishop for anointing. This means that your sponsor is able to be present for the celebration of Confirmation and other special events. If this is not possible, someone can stand in as a "proxy" in place of your sponsor.

■ Your parents and family might have ideas about a sponsor that you have not considered. Seek out their help and guidance, as well as their prayers, as you make your decision.

Connecting with Your Sponsor

Regular meetings with your sponsor are an important part of the preparation for Confirmation. Here are five tips for staying connected:

1. Set up a regular meeting time after each Confirmation session, either in person or by phone or video chat. This keeps questions fresh in your mind and helps you reflect further on what you have learned. Frequent meetings also help you to become better acquainted with your sponsor.

2. Share information with your sponsor. This includes the dates and times of special parish events and the celebration of Confirmation, as well as other sponsor-related material from the parish.

3. Jot down thoughts, questions, and ideas to share with your sponsor. Some of these will emerge in your sessions with the other candidates. Others might arise from a service project, retreat, or other gathering.

4. Plan a special time to meet with your sponsor before the celebration of Confirmation. Let it be a time of prayer and a chance to bring up additional questions that you have about being confirmed.

5. Get together with your sponsor after Confirmation to talk about the experience and about ways that your sponsor can continue to support you in your faith. You might want to use some of the questions from Chapter 6 to discuss during this time.

Llamado por Dios

Vocación

Vocación es un llamado a una forma de vida. Nuestra vocación común es nuestra llamada de Dios a la santidad y a la evangelización. Dios también nos llama a cada uno a vivir nuestra vocación en una de las siguientes vocaciones particulares.

- *Laicos:* llamados también seglares o fieles cristianos, son miembros de la Iglesia que comparten la misión de llevar la buena nueva de Cristo al mundo. Todos los católicos empiezan su vida como laicos. Muchos permanecen como laicos toda su vida, contestando el llamado de Dios a ser laicos.
- *Vida consagrada:* católicos que siguen el llamado de Dios en la vida consagrada y con frecuencia son llamados "religiosos" y se dice que viven "vida religiosa". En la vida consagrada, hombres y mujeres profesan, o prometen a Dios, que van a practicar la pobreza, la castidad por medio del celibato y la obediencia a la Iglesia y a sus comunidades religiosas. Pobreza, castidad y obediencia son llamados consejos evangélicos.
- *Ministro ordenado:* Algunos hombres bautizados católicos siguen el llamado de Dios en esta vocación especial. Por medio del sacramento del Orden son consagrados para el ministerio del sacerdocio como sacerdotes y obispos, o para el diaconado permanente. A ellos se les da la gracia de servir al pueblo de Dios y tienen varias responsabilidades dentro de la Iglesia como líderes, ministros y en el culto.

El descubrir la vocación para la que Dios te ha llamado toma tiempo. Ahora te estás preparando para tu futura vocación y todos los días hay claves que te dirigen hacia lo que Dios te está llamando: por medio de tus dones y talentos, en los consejos de personas en quien confías, por medio de ideas que te llegan al rezar y conversaciones con personas que viven diferentes vocaciones. Escucha y reza. Tu vocación se presentará claramente.

Oración por mi vocación

Dios de amor,
tienes un gran y amoroso plan
para el mundo y para mí.
Deseo compartir plenamente ese plan
con fidelidad y gozo.

Ayúdame a entender lo que tú quieres
que haga con mi vida.
Ayúdame a poner atención a las señales que
me das sobre como prepararme para
el futuro.

Ayúdame a a ser digno
del reino de Dios
dondequiera que me llames,
ya sea la vida sacerdotal, religiosa, vida laica
o vida matrimonial.

Y una vez haya escuchado y entendido
tu llamada,
dame la fortaleza y la gracia para seguirla
con generosidad y amor. Amén.

Called by God

Vocation

A *vocation* is a call to a way of life. As Catholics, our common vocation is our call from God to holiness and to evangelization. God also calls each of us to live out our common vocation in one of the following particular vocations:

- *Laity* The laity are also called laypeople or the Christian faithful. They are members of the Church who share in the mission to bring the Good News of Christ to the world. All Catholics begin their lives as members of the laity. Many remain members of the laity for their entire lives, following God's call as lay people.
- *Consecrated Life* Catholics who follow God's call to the consecrated life are often called "religious" and are said to be living the "religious life." In the consecrated life, men and women profess, or promise God that they will practice poverty, chastity through celibacy, and obedience to the Church and to their religious communities.
- *Ordained Ministry* Some baptized Catholic men follow God's call to this particular vocation. Through the Sacrament of Holy Orders, they are consecrated to the ministerial priesthood as priests, bishops, or as permanent deacons. They are given the grace to serve God's People and have various responsibilities for ministry, worship, and leadership within the Church.

The discovery of the vocation to which God calls you takes time. Even now, you are preparing for your future vocation, and every day there are clues to the direction in which God is leading you: through your gifts and talents, in the advice of people you trust, through the insights you have in prayer, and discussions with people who are living various vocations. Listen and pray! Your vocation will become clear to you.

Prayer for My Vocation

Dear God,
you have a great and loving plan
for our world and for me.
I wish to share in that plan fully,
faithfully, and joyfully.

Help me to understand what it is
you wish me to do with my life.
Help me to be attentive to the signs
that you give me about preparing for
the future.

Help me to learn to be a sign
of the Kingdom, or Reign, of God,
whether I'm called to the
priesthood or religious life,
the single or married life.

And once I have heard and understood
your call, give me the strength
and the grace to follow it
with generosity and love. Amen.

Enviado

Al final de cada misa la comunidad de fe es bendecía y enviada. Una bendición y un envío similar tienen lugar en la conclusión de la Confirmación. El obispo pide a Dios por los recién confirmados para que puedan vivir el evangelio por medio del uso de los dones del Espíritu Santo. Al hacer esto, los recién confirmados están listos para compartir en la misión de Jesús de llevar la buena nueva al mundo. Hay tres formas de vivir esta misión por medio de la Escritura, el culto y el servicio.

Escritura

Para compartir la palabra de Dios debemos primero conocerla. El ser confirmado no nos conduce al fin del aprendizaje de nuestra fe. Es en realidad una puerta hacia un conocimiento más profundo. Estas son algunas formas de mantener viva la palabra en tu vida:

- Continuar participando en el programa de educación religiosa de tu parroquia o escuela. Ofrecer tus servicios como asistente de catequista para ayudar a niños más pequeños. El explicar tu fe a otros te ayuda a fortalecerla.
- Usar y estudiar la Biblia y hacer de la lectura de la Escritura parte de tu rutina diaria. Unirte a otros jóvenes para estudiar la Biblia y conversar sobre como la palabra de Dios se aplica a tu vida diaria.
- Continuar conversando sobre tu fe con tu padrino y otros recién confirmados miembros de tu parroquia.

Culto

Reunirse todas las semanas para compartir la Eucaristía es una de las formas más importante de vivir tu vida de fe. Tu participación en la oración y la alabanza es parte vital de ser un miembro de la Iglesia totalmente iniciado. Estas son algunas formas de aumentar tu nivel de participación:

- Preparándote para la misa del domingo leyendo de antemano las lecturas. Puedes encontrar las lecturas visitando Liturgia para la semana en: **www.inspiradosporelespiritu.com**.
- Ofreciéndote como voluntario para un ministerio específico en la liturgia de tu parroquia. Por ejemplo cantando en el coro, leyendo en la misa, como ujier o ayudando en hospitalidad.
- Tomando tiempo para rezar diariamente y planificar una oración en familia un vez a la semana.

Servicio

Al prepararte para la Confirmación se te pidió hacer obras de apostolado. Esto se hizo para ayudarte a entender que el apostolado es parte esencial de la vida de un discípulo cristiano. Estas son algunas ideas para servir a otros:

- Considerar el servicio que hiciste como parte de la preparación para la Confirmación. Conversa con tus padres, padrino u otro adulto en quien confíes sobre los beneficios y retos de tu experiencia. ¿Cómo puedes continuar expandiendo o pasar a otra área de servicio?
- Leer de nuevo la descripción de los dones del Espíritu Santo en la página 38. ¿Cuál de estos dones se destacan fuertemente en ti? Deja que eso te guíe hacia un apostolado que se ajuste a tus dones más fuertes.
- Hacer una lista de donde puedes servir durante una semana. Incluye lugares y personas que serán parte de tu vida durante ese tiempo: familiares, parroquia, vecindario, escuela, equipo, red social y otros lugares. Haz una lista de pequeños actos de servicio que puedes llevar a cabo en medio de tu vida diaria.

Go Forth

At the end of every Mass, the faith community is given a blessing and then sent forth. A similar blessing and sending forth takes place at the conclusion of Confirmation. The bishop asks God to make the newly-confirmed ready to live the Gospel through the use of the gifts of the Holy Spirit. In doing so, the newly-confirmed stand ready to share in the mission of Jesus by spreading the Good News throughout the world. Three ways we live out this mission are through Word, worship, and service.

Word

In order to share the Word of God, we must first know it! Being confirmed does not bring an end to learning about our faith. It is actually a doorway into deeper knowledge. Here are some ways to keep the Word alive in your life:

■ Continue to take part in your parish or school religious education program. Offer to serve as a volunteer catechist or aide for younger children. Explaining your faith to others helps to strengthen it.

■ Use a study Bible and make the reading of Scripture a part of your daily routine. Join with other young people in a Bible study and talk about ways the Word of God applies to your life.

■ Continue to discuss your faith with your sponsor and with other newly-confirmed members of your parish.

Worship

Coming together each week to share in the Eucharist is one of the most important ways that you live your faith. Your participation in prayer and worship is a vital part of being a fully-initiated member of the Church. Here are some ways to increase your level of participation:

■ Prepare for Sunday Mass by going over the readings in advance. You can find the readings by visiting *This Week's Liturgy* featured on **www.inspiredbythespirit.com**.

■ Volunteer to take on a specific ministry in your parish liturgy, e.g. singing with the choir, becoming a lector, serving as an usher or greeter, or helping with hospitality.

■ Set aside time each day for personal prayer, and plan a family prayer service once a week.

Service

In order to prepare for Confirmation, you were asked to perform works of service. This was meant to help you understand that service is essential to Christian discipleship. Here are some ideas for serving others:

■ Consider the service you performed as part of your preparation for Confirmation. Talk to your sponsor, parent, or another trusted adult about the benefits and challenges of your experience. How might you continue to expand it or move into another area of service?

■ Read over the description of the Gifts of the Holy Spirit on page 39. Which of these gifts are emerging most strongly in you? Let this guide you towards service that fits with your strongest gifts.

■ Make a list of where you can be of service in the course of a week. Include places and people who will be part of your life in that time—people in your family, parish, neighborhood, school, team, social networks, and other places. List small acts of service that can be carried out in the midst of your daily life.

Formas de orar

"La tradición cristiana contiene tres importantes expresiones de la vida de oración: la oración vocal, la meditación y la oración contemplativa". (*CIC*, 2721)

- *Oración vocal* es la oración que rezamos en voz alta, con frecuencia con otros. El rosario es una expresión de oración vocal. Las oraciones que rezamos en la misa y durante la Liturgia de las Horas son oraciones vocales. Si pensamos sobre lo que estamos diciendo, la oración vocal pertenece a nuestras mentes y corazones así que rezamos lo que significa y significa lo que rezamos. Si rezamos con sinceridad, la oración vocal lleva a *la meditación* y *la contemplación*.
- En *la meditación* intervienen "el pensamiento, la imaginación, la emoción" (*CIC* 2723). Generalmente empieza con una lectura de la Biblia o en libros sobre espiritualidad. Cuando meditamos, podemos rezar ciertas palabras o versos una y otra vez hasta que todos nuestros pensamientos se hacen una oración. O podemos reflexionar en la lectura buscando ideas para nuestra situación. La lectura puede ayudarnos a encontrar apoyo de Dios para tomar nuestras decisiones diarias. La meditación también puede llevar a la contemplación. *Lectio Divina* (ver página 76) también es un ejemplo de meditación.
- *Contemplación* "Es una mirada de fe, fijada en Jesús, una escucha de la Palabra de Dios, un silencioso amor". (*CIC*, 2724). La contemplación es una oración sin palabras. Es una conciencia de la presencia de Dios que puede durar medio minuto, media hora, medio día o toda la vida. Es un don de Dios que puede llegar a cualquier persona que busca a Dios y se abre al amor de Dios. Santa Teresa de Avila, gran contemplativa, pedía a sus hermanas carmelitas buscar a Dios en todas partes; hasta en las ollas y sartenes.

Moral cristiana

Como discípulos de Jesús y miembros de la Iglesia, somos llamados a la santidad. Este llamado incluye cumplir los Diez Mandamientos y vivir las Bienaventuranzas.

LOS DIEZ MANDAMIENTOS

1. Amarás a Dios sobre todas las cosas.
2. No tomarás el nombre de Dios en vano.
3. Santificarás las fiestas.
4. Honrarás a tu padre y a tu madre.
5. No matarás.
6. No cometerás actos impuros.
7. No robarás.
8. No dirás falso testimonio ni mentirás.
9. No desearás la mujer de tu prójimo.
10. No codiciarás los bienes ajenos.

Las Bienaventuranzas

Dichosos los que reconocen su necesidad espiritual,
pues el reino de Dios les pertenece.

Dichosos los que están tristes,
pues Dios les dará consuelo.

Dichosos los de corazón humilde,
pues recibirán la tierra que Dios les ha prometido.

Dichosos los que tienen hambre y sed
de hacer lo que Dios exige,
pues él hará que se cumplan sus deseos.

Dichosos los que tienen compasión de otros,
pues Dios tendrá compasión de ellos.

Dichosos los de corazón limpio,
pues ellos verán a Dios.

Dichosos los que procuran la paz,
pues Dios los llamará hijos suyos.

Dichosos los que sufren persecución
por hacer lo que Dios exige,
pues el reino de Dios les pertenece.

Mateo 5:3–10

Christian Morality

As disciples of Jesus Christ and members of the Church, we are call to holiness. This calling includes following the Ten comments and living the beatitudes.

THE TEN COMMANDMENTS

1. I am the LORD your God: you shall not have strange Gods before me.
2. You shall not take the name of the LORD your God in vain.
3. Remember to keep holy the LORD's Day.
4. Honor your father and your mother.
5. You shall not kill.
6. You shall not commit adultery.
7. You shall not steal.
8. You shall not bear false witness against your neighbor.
9. You shall not covet your neighbor's wife.
10. You shall not covet your neighbor's goods.

The Beatitudes

Blessed are the poor in spirit,
for theirs is the kingdom of heaven.

Blessed are they who mourn,
for they will be comforted.

Blessed are the meek,
for they will inherit the land.

Blessed are they who hunger and thirst
for righteousness,
for they will be satisfied.

Blessed are the merciful,
for they will be shown mercy.

Blessed are the clean of heart,
for they will see God.

Blessed are the peacemakers,
for they will be called children of God.

Blessed are they who are persecuted for
the sake of righteousness,
for theirs is the kingdom of heaven.

Matthew 5:3–10

Ways of Praying

"The Christian tradition comprises three major expressions of the life of prayer: vocal prayer, meditation, and contemplative prayer." (*CCC*, 2721)

■ *Vocal prayer* is prayer we pray aloud, often with others. The Rosary is also an example of vocal prayer. The prayers we pray at Mass and during the Liturgy of the Hours are vocal prayer. If we think about what we are saying, vocal prayer penetrates our minds and hearts so that we pray what we mean and mean what we pray. If we pray with heartfelt sincerity, vocal prayer can lead to *meditation* and *contemplation*.

■ *Meditation* involves "thought, imagination, emotion, and desire" (*CCC*, 2723). Usually it begins with a reading from Scripture or a spiritual book. When we meditate, we can pray certain words or verses over and over until our very thoughts become a prayer. Or we can reflect on the reading for insights into our own situation. The reading can help us to find God's way amid the choices we face each day. Meditation, too, can lead to contemplation. *Lectio Divina* (see description on page 77) is also an example of meditative prayer.

■ *Contemplation* is "a gaze of faith fixed on Jesus, an attentiveness to the Word of God, a silent love" (*CCC*, 2724). Contemplation is wordless prayer. It is an awareness of God's presence that can last half a minute, half an hour, half a day, or a whole lifetime. It is a gift from God that can come to anyone who seeks God and is open to God's love. A great contemplative, Saint Teresa of Ávila, used to urge her Carmelite sisters to seek God everywhere; even "among the pots and pans."

El Santísimo Sacramento

Visita al Santísimo Sacramento

Algunas veces vamos a la Iglesia en momentos cuando no se está celebrando la misa u otro sacramento para hacer "una visita" y tomar tiempo para decir a Jesús que lo amamos y hablarle de nuestras necesidades, esperanzas y nuestro agradecimiento.

Después de la comunión en la misa, las Hostias consagradas que no son consumidas son puestas en el tabernáculo. Estas Hostias son llamadas Santísimo Sacramento. Una lámpara especial, la *lámpara del santuario*, está siempre encendida cerca. Esta luz nos recuerda que Jesucristo está verdaderamente presente, cuerpo y sangre, alma y divinidad, en el Santísimo Sacramento. Mostramos reverencia por Jesús, en el Santísimo Sacramento haciendo una *genuflexión*, o doblando la rodilla hasta el suelo mirando hacia el tabernáculo.

Adoración perpetua

Algunas parroquias han establecido la práctica de la adoración perpetua. Han destinado una capilla especial abierta veinticuatro horas al día, siete días a la semana. Esto se ha hecho con permiso de los obispos de las diócesis. El pueblo reza ante Jesús en el Santísimo Sacramento. La Eucaristía, consagrada durante una misa, es colocada en una *custodia*. La custodia con la Hostia es colocada en el altar para que todos puedan ver el Santísimo Sacramento y rezar por ellos y otras personas, pueden rezar con sus propias palabras o usando oraciones tradicionales de la Iglesia.

Bendición

La bendición es una práctica muy antigua de la Iglesia. La palabra *benedictio* es una palabra del latín que significa "bendición". Durante una bendición, una Hostia grande, consagrada en una misa, se coloca en una *custodia*. El sacerdote quema incienso ante el Santísimo Sacramento. El incienso es un signo de la adoración y oración que ofrecemos a la presencia de Dios. Durante la benición el sacerdote levanta la custodia y bendice al pueblo. Todos hacen la señal de la cruz y se inclinan con reverencia ante el Santísimo Sacramento. La bendición incluye himnos, una bendición y oración.

The Most Blessed Sacrament

Visit to the Most Blessed Sacrament

We often go to church at times other than the celebration of Mass and the sacraments to "make a visit" and to take time to tell Jesus of our love, our needs, our hopes, and our thanks.

After Communion at Mass, the consecrated Hosts that remain are placed in the tabernacle. This reserved Eucharist is called the Most Blessed Sacrament. A special light, the *sanctuary lamp*, is always kept burning nearby. This light reminds us that Jesus Christ is truly present, Body, and Blood, soul and divinity, in the Most Blessed Sacrament. We show reverence for Jesus, in the Most Blessed Sacrament by *genuflecting*, or bending the knee to the floor, toward the tabernacle.

Perpetual Adoration

Some parishes have established the practice of perpetual adoration. They have set aside special chapels that are open twenty-four hours a day, seven days a week. This has been done with the permission of the bishops of the dioceses. People come to pray before Jesus in the Most Blessed Sacrament. The Eucharist that was consecrated during Mass is placed in a special holder called a *monstrance*. The monstrance containing the consecrated Host is placed on the altar so that all can see the Most Blessed Sacrament. People who visit the Most Blessed Sacrament pray for themselves and others in their own words or using traditional prayers of the Church.

Benediction

Benediction is a very old practice in the Church. The word *benediction* comes from a Latin word for "blessing." At Benediction, a large Host that was consecrated at Mass is placed in a *monstrance*. The priest burns incense before the Most Blessed Sacrament. The incense is a sign of the adoration and prayer we offer in God's presence. During Benediction, the priest lifts the *monstrance* and blesses the people. Everyone makes the sign of the cross and bows in reverence before the Most Blessed Sacrament. Benediction includes hymns, a blessing, and prayer.

Oraciones y devociones

Señal de la cruz

En el nombre del Padre,
y del Hijo
y del Espíritu Santo. Amén.

Signum Crucis

In nómine Patris
et Fílii,
et Spíritus Sancti. Amen.

Padrenuestro

Padre nuestro, que estás en el cielo,
santificado sea tu Nombre;
venga a nosotros tu reino;
hágase tu voluntad en la tierra como
en el cielo.
Danos hoy nuestro pan de cada día;
perdona nuestras ofensas,
como también nosotros perdonamos
a los que nos ofenden;
no nos dejes caer en la tentación,
y líbranos del mal.

Pater Noster

Pater noster, qui es in cælis:
sanctificétur nomen tuum;
advéniat regnum tuum;
fiat volúntas tua, sicut in cælo,
et in terra.
Panem nostrum cotidiánum da
nobis hódie;
et dimítte nobis débita nostra,
sicut et nos dimíttimus
debitóribus nostris;
et ne nos indúcas in tentatiónem;
sed líbera nos a malo. Amen.

Ave María

Dios te salve María,
llena eres de gracia;
el Señor es contigo;
bendita tú eres entre todas
las mujeres,
y bendito es el fruto de tu
vientre, Jesús.
Santa María, Madre de Dios,
ruega por nosotros pecadores,
ahora y en la hora de nuestra muerte.
Amén.

Ave, María

Ave, María, grátia plena,
Dóminus tecum.
Benedícta tu in muliéribus,
et benedíctus fructus ventris
tui, Iesus.
Sancta María, Mater Dei,
ora pro nobis peccatóribus,
nunc et in hora mortis nostræ. Amen.

Visita *Salón de latín* en
www.inspiradosenelspiritu.com
para escuchar estas oraciones.

Prayers & Practices

Sign of the Cross
In the name of the Father,
and of the Son,
and of the Holy Spirit. Amen.

Signum Crucis
In nómine Patris
et Fílii,
et Spíritus Sancti. Amen.

Our Father
Our Father, who art in heaven,
hallowed be thy name;
thy kingdom come,
thy will be done on earth
as it is in heaven.
Give us this day our daily bread,
and forgive us our trespasses,
as we forgive those
who trespass against us;
and lead us not into temptation,
but deliver us from evil. Amen.

Pater Noster
Pater noster, qui es in cælis:
sanctificétur nomen tuum;
advéniat regnum tuum;
fiat volúntas tua, sicut in cælo,
et in terra.
Panem nostrum cotidiánum da
nobis hódie;
et dimítte nobis débita nostra,
sicut et nos dimíttimus
debitóribus nostris;
et ne nos indúcas in tentatiónem;
sed líbera nos a malo. Amen.

Hail Mary
Hail Mary, full of grace,
the Lord is with thee.
Blessed art thou among women
and blessed is the fruit
of thy womb, Jesus.
Holy Mary, Mother of God,
pray for us sinners,
now and at the hour of our death. Amen.

Ave, María
Ave, María, grátia plena,
Dóminus tecum.
Benedícta tu in muliéribus,
et benedíctus fructus ventris
tui, Iesus.
Sancta María, Mater Dei,
ora pro nobis peccatóribus,
nunc et in hora mortis nostræ. Amen.

Visit *Latin Hall* featured on
www.inspiredbythespirit.com
to listen to these prayers.

Credo de Nicea

Creo en un solo Dios,
Padre todopoderoso,
creador del cielo y de la tierra,
de todo lo visible y lo invisible.

Creo en un solo Señor, Jesucristo,
Hijo único de Dios,
nacido del Padre antes de todos los siglos,
Dios de Dios, Luz de Luz,
Dios verdadero de Dios verdadero,
engendrado, no creado,
de la misma naturaleza del Padre,
por quien todo fue hecho;
que por nosotros, los hombres,
y por nuestra salvación
bajó del cielo,
y por obra del Espíritu Santo
se encarnó de María la Virgen
y se hizo hombre;
y por nuestra causa fue crucificado
en tiempos de Poncio Pilato;
padeció y fue sepultado,
y resucitó al tercer día,
según las Escrituras
y subió al cielo
y está sentado a la derecha
del Padre;
y de nuevo vendrá con gloria
para juzgar
a vivos y muertos,
y su reino no tendrá fin.

Creo en el Espíritu Santo, Señor
y dador de vida,
que procede del Padre y del Hijo,
que con el Padre y el Hijo
recibe una misma adoración y gloria,
y que habló por los profetas.

Creo en la Iglesia que es una,
santa, católica y apostólica.
Confieso que hay un solo bautismo para
el perdón de los pecados.
Espero en la resurrección
de los muertos
y la vida del mundo futuro. Amén.

Acto de fe

Señor, yo creo que tú eres el Cristo, el Hijo de Dios vivo, que has dicho: "todo es posible para los que tienen fe". Fe tengo, ayúdame tú en lo que me falte. Señor, aumenta mi fe. Amén.

Acto de esperanza

Señor Dios, espero que por tu gracia perdones todos mis pecados y me ofrezcas la eterna felicidad porque tú lo prometiste y eres infinitamente poderoso, fiel, bondadoso y misericordioso. Es por ese amor que intento vivir y morir. Amén.

Acto de caridad

Señor, te amo sobre todas las cosas y amo a mi prójimo en tu nombre porque eres grande, infinita y perfecta bondad. En ese amor intento vivir y morir. Amén.

Nicene Creed

I believe in one God,
the Father almighty,
maker of heaven and earth,
of all things visible and invisible.

I believe in one Lord Jesus Christ,
the Only Begotten Son of God,
born of the Father before all ages.
God from God, Light from Light,
true God from true God,
begotten, not made, consubstantial
with the Father;
through him all things were made.
For us men and for our salvation
he came down from heaven,
and by the Holy Spirit
was incarnate of the Virgin Mary,
and became man.

For our sake he was crucified
under Pontius Pilate,
he suffered death and was buried,
and rose again on the third day
in accordance with the Scriptures.
He ascended into heaven
and is seated at the right hand
of the Father.
He will come again in glory to judge
the living and the dead,
and his kingdom will have no end.

I believe in the Holy Spirit, the Lord,
the giver of life,
who proceeds from the Father and the Son,
who with the Father and the Son,
is adored and glorified,
who has spoken through the prophets.

I believe in one holy catholic
and apostolic Church.
I confess one Baptism for the
forgiveness of sins.
and I look forward to the resurrection
of the dead,
and the life of the world to come. Amen.

Act of Faith

O my God, I firmly believe that you are one God in three divine Persons, Father, Son, and Holy Spirit. I believe that your divine Son became man and died for our sins and that he will come to judge the living and the dead. I believe these and all the truths which the Holy Catholic Church teaches because you have revealed them, who are eternal truth and wisdom, who can neither deceive nor be deceived. In this faith I intend to live and die. Amen.

Act of Hope

O Lord God, I hope by your grace for the pardon of all my sins and after life here to gain eternal happiness because you have promised it, who are infinitely powerful, faithful, kind, and merciful. In this hope I intend to live and die. Amen.

Act of Love

O Lord God, I love you above all things and I love my neighbor for your sake because you are the highest, infinite and perfect good, worthy of all my love. In this love I intend to live and die. Amen.

Los siete sacramentos

Sacramentos de iniciación cristiana—somos iniciados como miembros de la Iglesia por medio de estos tres sacramentos.

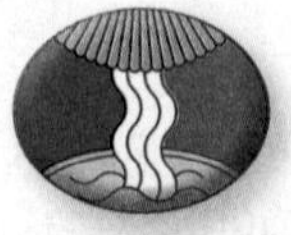

- Bautismo es el sacramento en el cual somos librados del pecado original y personal. Nos hacemos hijos de Dios y somos acogidos en la Iglesia.

- Confirmación es el sacramento en el cual somos sellados con el don del Espíritu Santo.

- Eucaristía es el sacramento del Cuerpo y la Sangre de Cristo, donde Jesús está verdaderamente presente bajo las apariencias de pan y vino.

Sacramentos de sanación—dos sacramentos son conocidos como sacramentos de sanación.

- Penitencia y Reconciliación en donde nuestra relación con Dios y la Iglesia es restaurada y nuestros pecados perdonados.

- Unción de los Enfermos es el sacramento por medio del cual la gracia y el consuelo de Dios son dados a los que están sufriendo debido a su avanzada edad o enfermedades graves.

Sacramentos de servicio a la comunidad—los miembros de la Iglesia que celebran estos sacramentos son fortalecidos para servir a Dios y a la Iglesia por medio de una de estas dos vocaciones.

- Orden es el sacramento en el cual hombres bautizados son ordenados para servir en la Iglesia como diáconos, sacerdotes u obispos.

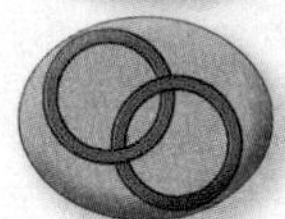

- Matrimonio es el sacramento en el que un hombre y una mujer bautizados prometen ser fieles uno al otro por el resto de sus vidas y servir a su familia y a la Iglesia.

Los preceptos de la Iglesia

(Tomados del *CIC*, 2041–2043)

1. Oír misa entera los domingos y demás fiesta de precepto y no realizar trabajos serviles.

2. Confesarse por lo menos una vez al año.

3. Recibir el sacramento de la Eucaristía al menos por Pascua.

4. Abstenerse de comer carne y ayunar en los días establecidos por la Iglesia.

5. Ayudar a la Iglesia en sus necesidades.

Días de precepto en los Estados Unidos

Solemnidad de María, Madre de Dios (primero de enero)
La Ascensión (durante el tiempo de Pascua)*
La Asunción de María (15 de agosto)
Día de todos los santos (primero de noviembre)
Inmaculada Concepción (8 de diciembre)
Navidad (25 de diciembre)

*(Algunas diócesis celebran la Ascensión el domingo siguiente)

The Seven Sacraments

Sacraments of Christian Initiation—We are initiated as members of the Church by means of three sacraments:

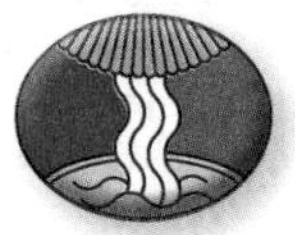

- Baptism is the sacrament in which we are freed from Original Sin and personal sin, become children of God, and are welcomed into the Church.

- Confirmation is the sacrament in which we are sealed with the Gift of the Holy Spirit.

- The Eucharist is the Sacrament of the Body and Blood of Christ in which Jesus is truly present under the appearances of bread and wine.

Sacraments of Healing—Two sacraments are known as Sacraments of Healing:

- Penance and Reconciliation is the sacrament by which our relationship with God and the Church is restored and our sins are forgiven.

- The Anointing of the Sick is the sacrament by which God's grace and comfort are given to those who are suffering because of their old age or because of serious illnesses.

Sacraments at the Service of Communion—Church members who receive these sacraments are strengthened to serve God and the Church through one of two particular vocations:

- Holy Orders is the sacrament in which baptized men are ordained to serve the Church as deacons, priests, and bishops.

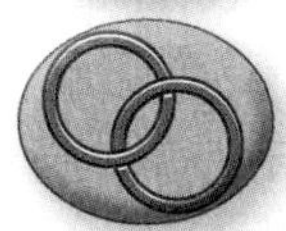

- Matrimony is the sacrament in which a baptized man and woman promise to be faithful to each other for the rest of their lives and serve their family and the Church.

The Precepts of the Church

(from CCC, 2041–2043)

1. You shall attend Mass on Sundays and holy days of obligation and rest from servile labor.

2. You shall confess your sins at least once a year.

3. You shall receive the Sacrament of the Eucharist at least during the Easter season.

4. You shall observe the days of fasting and abstinence established by the Church.

5. You shall help to provide for the needs of the Church.

Holy Days of Obligation

Solemnity of Mary, Mother of God (January 1)
Ascension (when celebrated on Thursday during the Easter season)★
Assumption of Mary (August 15)
All Saints' Day (November 1)
Immaculate Conception (December 8)
Christmas (December 25)

★(Some dioceses celebrate the Ascension on the following Sunday)

La misa

Ritos Iniciales

Himno de entrada: Los acólitos, lectores, el diácono y el sacerdote proceden hacia el altar. La asamblea canta. El sacerdote y el diácono besan el altar haciendo una reverencia.

Saludos: El sacerdote y la asamblea hacen la señal de la cruz y el sacerdote nos recuerda que estamos en la presencia de Jesús.

Acto penitencial: Reunidos en la presencia de Dios, la asamblea reconoce sus pecados y proclama el misterio del amor de Dios. Pedimos a Dios que sea misericordioso.

El Gloria: Algunos domingos cantamos o rezamos este antiguo himno.

Oración inicial: Esta oración expresa el tema de la celebración, las necesidades y esperanzas de la asamblea.

Coleta: Esta oración expresa el tema de la celebración y las necesidades y esperanzas de la asamblea.

Liturgia de la Palabra

Primera lectura: Esta lectura es generalmente tomada del Antiguo Testamento. Escuchamos sobre el amor y la misericordia de Dios para su pueblo antes de la venida de Cristo. Escuchamos historias de esperanza y valor, poder y maravilla. Aprendemos la alianza de Dios con su pueblo y las formas en que vivieron esa alianza.

Salmo responsorial: Después de reflexionar en silencio en la palabra de Dios, damos gracias a Dios por la palabra escuchada.

Segunda lectura: Esta lectura es tomada generalmente de las cartas de los apóstoles, Hechos de los apóstoles o el Apocalipsis en el Nuevo Testamento. Escuchamos sobre los primeros discípulos, las enseñanzas de los apóstoles y el inicio de la Iglesia.

Aclamación del evangelio: Nos ponemos de pie y cantamos Aleluya u otras palabras de alabanza. Esto demuestra que estamos listos para escuchar la buena nueva de Jesucristo.

Lectura del evangelio: Esta lectura siempre es tomada de los evangelios de Mateo, Marcos, Lucas o Juan. Proclamada por el diácono o el sacerdote, esta lectura es sobre la misión y el ministerio de Jesús. Las palabras y acciones de Jesús que escuchamos hoy nos ayudan a vivir como sus discípulos.

Homilía: El sacerdote o el diácono nos hablan sobre las lecturas. Estas palabras nos ayudan a entender el significado de la palabra de Dios hoy. Aprendemos lo que significa creer y ser miembros de la Iglesia. Nos acercamos a Dios y a los demás.

El credo: Toda la asamblea reza el Credo de Nicea o el Credo de los Apóstoles. Nos ponemos de pie y en voz alta expresamos lo que creemos como miembros de la Iglesia.

Plegaria universal: Rezamos por las necesidades del pueblo de Dios. Esta es también llamada oración de los fieles.

Liturgia de la Eucaristía

Preparación de las ofrendas: Durante la preparación de las ofrendas, el diácono y los acólitos preparan el altar. Estos dones incluyen el pan, el vino y la colecta para la Iglesia y los necesitados. Como miembros de la asamblea, cantando llevamos el pan y el vino en procesión hacia el altar. El pan y el vino se colocan en el.

Oración sobre las ofrendas: El sacerdote pide a Dios que bendiga y acepte nuestros dones. Respondemos: "Bendito seas por siempre, Señor".

Plegaria eucarística: Esta es la oración más importante de la Iglesia. Es la oración de adoración y acción de gracias más importante. Nos unimos a Cristo y a los demás. Al inicio de la oración, el *prefacio*, consiste en alabar y dar gracias a Dios. Juntos cantamos el himno "Santo, Santo, Santo". El resto de la oración consiste en invocar al Espíritu Santo para que bendiga los regalos de pan y vino; la consagración del pan y el vino recordando las palabras y las acciones de Jesús en la última cena; recordando la pasión, muerte, resurrección y ascensión de Jesús; recordando que la Eucaristía es ofrecida por la Iglesia en el cielo y en la tierra; alabando a Dios rezando el gran "Amén" en amor a Dios: Padre, Hijo y Espíritu Santo.

Rito de comunión: Esta es la tercera parte de la Liturgia de la Eucaristía que incluye:

- ***El Padrenuestro:*** Jesús nos dio esta oración que cantamos o rezamos al padre en voz alta.
- ***El saludo de la paz:*** Pedimos que la paz de Cristo esté siempre con nosotros. Nos damos el saludo de la paz para mostrar que estamos unidos en Cristo.
- ***Partir el pan:*** Rezamos en voz alta el Cordero de Dios, pedimos a Jesús misericordia, perdón y paz. El sacerdote parte la Hostia y somos invitados a compartir la Eucaristía.
- ***Comunión:*** Se nos muestra la Hostia y escuchamos: "El Cuerpo de Cristo", a lo que respondemos: "amén". Se nos muestra la copa y escuchamos: "La Sangre de Cristo", a lo que respondemos: amén. Cada persona responde: "amén" y recibe la comunión. Mientras se recibe la comunión todos cantamos. Después, reflexionamos en el don de Jesús y la presencia de Dios en nosotros. El sacerdote reza para que el don de Jesús nos ayude a vivir como discípulo de Jesús.

Rito de Conclusión

Saludos: el sacerdote ofrece la oración final. Sus palabras son una promesa de que Jesús estará con nosotros siempre.

Bendición: el sacerdote nos bendice en el nombre del Padre, del Hijo y del Espíritu Santo. Hacemos la señal de la cruz mientras él nos bendice.

Despedida: el diácono o el sacerdote nos envía a amar y a servir a Dios y a los demás. El sacerdote y el diácono besan el altar, hace una reverencia al altar y procede a salir mientras cantamos el himno final.

The Mass

Introductory Rites

Entrance Chant: Altar servers, readers, the deacon, and the priest celebrant process forward to the altar. The assembly sings as this takes place. The priest and deacon kiss the altar and bow out of reverence.

Greeting: The priest and assembly make the sign of the cross, and the priest reminds us that we are in the presence of Jesus.

Act of Penitence: Gathered in God's presence the assembly sees its sinfulness and proclaims the mystery of God's love. We ask for God's mercy in our lives.

Gloria: On some Sundays we sing or say this ancient hymn.

Collect: This prayer expresses the theme of the celebration and the needs and hopes of the assembly.

Liturgy of the Word

First Reading: This reading is usually from the Old Testament. We hear of God's love and mercy for his people before the time of Christ. We hear stories of hope and courage, wonder and might. We learn of God's covenant with his people and of the ways they lived his law.

Responsorial Psalm: After reflecting in silence as God's Word enters our hearts, we thank God for the Word just heard.

Second Reading: This reading is usually from the New Testament letters, the Acts of the Apostles, or the Book of Revelation. We hear about the first disciples, the teachings of the Apostles, and the beginning of the Church.

Alleluia or Gospel Acclamation: We stand to sing the Alleluia or other words of praise. This shows we are ready to hear the Good News of Jesus Christ.

Gospel: The deacon or priest proclaims a reading from the Gospel of Matthew, Mark, Luke, or John. This reading is about the mission and ministry of Jesus. Jesus' words and actions speak to us today and help us to know how to live as his disciples.

Homily: The priest or deacon talks to us about the readings. His words help us understand what God's Word means to us today. We learn what it means to believe and be members of the Church. We grow closer to God and one another.

Profession of Faith: The whole assembly prays together the Nicene Creed or the Apostles' Creed. We are stating aloud what we believe as members of the Church.

Prayer of the Faithful: We pray for the needs of all God's people.

Liturgy of the Eucharist

Preparation of the Gifts: The altar is prepared by the deacon and the altar servers. We offer gifts. These gifts include the bread and wine and the collection for the Church and for those in need. As members of the assembly carry the bread and wine in a procession to the altar, we sing. The bread and wine are placed on the altar.

Prayer Over the Offerings: The priest asks God to bless and accept our gifts.

Eucharistic Prayer: This is the most important prayer of the Church. It is our greatest prayer of praise and thanksgiving. It joins us to Christ and to one another. The beginning of this prayer, the *Preface*, consists of offering God thanksgiving and praise. We sing together the hymn "Holy, Holy, Holy." The rest of the prayer consists of: calling on the Holy Spirit to bless the gifts of bread and wine; the Consecration of the bread and wine, recalling Jesus' words and actions at the Last Supper; recalling Jesus' Passion, Death, Resurrection, and Ascension; remembering that the Eucharist is offered by the Church in Heaven and on earth; praising God and praying a great "Amen" in love of God: Father, Son, and Holy Spirit.

Communion Rite: This is the third part of the Liturgy of the Eucharist. It includes the:

- ***Lord's Prayer:*** Jesus gave us this prayer that we pray aloud or sing to the Father.
- ***Rite of Peace:*** We pray that Christ's peace be with us always. We offer one another a sign of peace to show that we are united in Christ.
- ***Breaking of the Bread:*** We say aloud or sing the Lamb of God, asking Jesus for his mercy, forgiveness, and peace. The priest breaks apart the Host, and we are invited to share in the Eucharist.
- ***Holy Communion:*** We are given the Host and hear "The Body of Christ" to which we respond, "Amen." We are given the cup and hear "The Blood of Christ." We respond "Amen." While people are receiving Holy Communion, we sing as one. After this we silently reflect on the gift of Jesus and God's presence with us. The priest then prays that the gift of Jesus will help us live as Jesus' disciples.

Concluding Rites

Greeting: The priest offers the final prayer. His words serve as a farewell promise that Jesus will be with us all.

Blessing: The priest blesses us in the name of the Father, Son, and Holy Spirit. We make the sign of the cross as he blesses us.

Dismissal: The deacon or priest ends the Mass and sends the assembly forth. The priest and deacon then kiss the altar. They, along with others serving at the Mass, bow to the altar, and process out as we sing the closing song.

Presentando . . . la Biblia

La Biblia es una colección de setenta y tres libros escritos bajo la inspiración del Espíritu Santo. La Biblia está dividida en dos partes: el Antiguo y el Nuevo Testamentos. En cuarenta y seis libros del Antiguo Testamento aprendemos sobre la historia de la relación de Dios con el pueblo de Israel. En veintisiete libros del Nuevo Testamento aprendemos sobre la historia de Jesucristo, el Hijo de Dios, y de sus primeros seguidores.

La palabra *Biblia* viene de una palabra griega que significa "libros". La mayoría de los libros del Antiguo Testamento fueron originalmente escritos en hebreo y los del Nuevo Testamento en griego. En el siglo V San Jerónimo tradujo los libros de la Biblia al latín, el lenguaje común de la Iglesia en ese tiempo. San Jerónimo también ayudó a establecer el *canon*, la lista oficial de la Iglesia de los libros de la Biblia.

El cuadro de abajo es una lista de las secciones y los libros de la Biblia. También muestra las abreviaturas que frecuentemente se dan a los nombres de los libros de la Biblia.

ANTIGUO TESTAMENTO

Pentateuco
(Cinco rollos)

Estos libros cuentan sobre la formación de la alianza y describen las leyes y creencias básicas de los israelitas.

Génesis (Gn)
Exodo (Ex)
Levítico (Lv)
Números (Nm)
Deuteronomio (Dt)

Libros históricos

Estos libros tratan sobre la historia de Israel.

Josué (Jos)
Jueces (Jue)
Rut (Rut)
1 Samuel (1 Sm)
2 Samuel (2 Sm)
1 Reyes (1 Re)
2 Reyes (2 Re)
1 Crónicas (1 Cr)
2 Crónicas (2 Cr)
Esdras (Esd)
Nehemías (Neh)
Tobías (Tob)
Judit (Jdt)
Ester (Est)
1 Macabeos (1 Mac)
2 Macabeos (2 Mac)

Libros de sabiduría

Estos libros explican el papel de Dios en la vida diaria.

Job (Job)
Salmos (Sal)
Proverbios (Prov)
Eclesiastés (Ecl)
Cantar de los cantares (Cant)
Sabiduría (Sab)
Eclesiástico (Eclo)

Libros proféticos

Estos libros contienen escritos de los grandes profetas que hablaron en nombre de Dios al pueblo de Israel.

Isaías (Is)
Jeremías (Jr)
Lamentaciones (Lam)
Baruc (Bar)
Ezequiel (Ez)
Daniel (Dn)
Oseas (Os)
Joel (Jl)
Amós (Am)
Abdías (Abd)
Jonás (Jon)
Miqueas (Miq)
Nahum (Nah)
Habacuc (Hab)
Sofonías (Sof)
Ageo (Ag)
Zacarías (Zac)
Malaquías (Mal)

NUEVO TESTAMENTO

Los evangelios

Estos libros contienen el mensaje y los eventos claves de la vida de Jesucristo. Por eso los evangelios tienen un lugar central en el Nuevo Testamento.

Mateo (Mt)
Marcos (Mc)
Lucas (Lc)
Juan (Jn)

Cartas

Estos libros contienen cartas escritas por san Pablo y otros líderes a individuos o comunidades cristianas.

Romanos (Rom)
1 Corintios (1 Cor)
2 Corintios (2 Cor)
Gálatas (Gal)
Efesios (Ef)
Filipenses (Flp)
Colosenses (Col)
1 Tesalonicenses (1 Tes)
2 Tesalonicenses (2 Tes)
1 Timoteo (1 Tim)
2 Timoteo (2 Tim)
Tito (Tit)
Filemón (Flm)
Hebreos (Heb)
Santiago (Sant)
1 Pedro (1 Pe)
2 Pedro (2 Pe)
1 Juan (1 Jn)
2 Juan (2 Jn)
3 Juan (3 Jn)
Judas (Jds)

Otros

Hechos de los apóstoles (Hch)
Apocalipsis (Ap)

Introducing . . . the Bible

The Bible is a collection of seventy-three books written under the inspiration of the Holy Spirit. The Bible is divided into two parts: the Old Testament and the New Testament. In the forty-six books of the Old Testament, we learn about the story of God's relationship with the people of Israel. In the twenty-seven books of the New Testament, we learn about the story of Jesus Christ, the Son of God, and of his followers.

The word *Bible* comes from the Greek word *biblia*, which means "books." Most of the books of the Old Testament were originally written in Hebrew, the New Testament in Greek. In the fifth century, a priest and scholar named Saint Jerome translated the books of the Bible into Latin, the common language of the Church at the time. Saint Jerome also helped to establish the *canon*, or the Church's official list, of the books of the Bible.

The chart below lists the sections and books of the Bible. It also shows abbreviations commonly given for the names of the books in the Bible.

OLD TESTAMENT

Pentateuch
("Five Scrolls")

These books tell about the formation of the covenant and describe basic laws and beliefs of the Israelites.

Genesis (Gn)
Exodus (Ex)
Leviticus (Lv)
Numbers (Nm)
Deuteronomy (Dt)

Historical Books

These books deal with the history of Israel.

Joshua (Jos)
Judges (Jgs)
Ruth (Ru)
1 Samuel (1 Sm)
2 Samuel (2 Sm)
1 Kings (1 Kgs)
2 Kings (2 Kgs)
1 Chronicles (1 Chr)
2 Chronicles (2 Chr)
Ezra (Ezr)
Nehemiah (Neh)
Tobit (Tb)
Judith (Jdt)
Esther (Est)
1 Maccabees (1 Mc)
2 Maccabees (2 Mc)

Wisdom Books

These books explain God's role in every-day life.

Job (Jb)
Psalms (Ps)
Proverbs (Prv)
Ecclesiastes (Eccl)
Song of Songs (Song)
Wisdom (Wis)
Sirach (Sir)

Prophetic Books

These books contain writings of the great prophets who spoke God's word to the people of Israel.

Isaiah (Is)
Jeremiah (Jer)
Lamentations (Lam)
Baruch (Bar)
Ezekiel (Ez)
Daniel (Dn)
Hosea (Hos)
Joel (Jl)
Amos (Am)
Obadiah (Ob)
Jonah (Jon)
Micah (Mi)
Nahum (Na)
Habakkuk (Hb)
Zephaniah (Zep)
Haggai (Hg)
Zechariah (Zec)
Malachi (Mal)

NEW TESTAMENT

The Gospels

These books contain the message and key events in the life of Jesus Christ. Because of this, the Gospels hold a central place in the New Testament.

Matthew (Mt)
Mark (Mk)
Luke (Lk)
John (Jn)

Letters

These books contain letters written by Saint Paul and other leaders to individual Christians or to early Christian communities.

Romans (Rom)
1 Corinthians (1 Cor)
2 Corinthians (2 Cor)
Galatians (Gal)
Ephesians (Eph)
Philippians (Phil)
Colossians (Col)
1 Thessalonians (1 Thes)
2 Thessalonians (2 Thes)
1 Timothy (1 Tim)
2 Timothy (2 Tim)
Titus (Ti)
Philemon (Phlm)
Hebrews (Heb)
James (Jas)
1 Peter (1 Pt)
2 Peter (2 Pt)
1 John (1 Jn)
2 John (2 Jn)
3 John (3 Jn)
Jude (Jude)

Other Writings

Acts of the Apostles (Acts)
Revelation (Rv)

Caminando por la Biblia

La Biblia está dividida en libros, estos a su vez están divididos en capítulos y estos en versículos. Abajo encontrarás una página de la Biblia con las partes señaladas.

Mateo, 12

Un signo para una generación perversa

38*Entonces algunos maestros de la ley y fariseos le dijeron:
—Maestro, queremos ver una señal hecha por ti.
39*Jesús respondió:
—Esta generación perversa e infiel reclama una señal, pero no tendrá otra señal que la del profeta Jonás. 40*Pues así como *Jonás estuvo tres días y tres noches en el vientre del pez*, así estará el Hijo del hombre tres días y tres noches en el corazón de la tierra.
41*Los ninivitas se levantarán en el día del juicio contra esta generación y la condenarán, porque ellos hicieron penitencia al escuchar la predicación de Jonás, y aquí hay alguien que es más importante que Jonás. 42*La reina del sur se levantará ... porque ella vino del extremo de la tierra para oír la sabiduría de Salomón; y aquí hay alguien que es más importante que Salomón. 43Cuando un espíritu impuro sale del hombre anda por lugares áridos buscando descanso y, al no encontrarlo, 44dice: «Regresaré a mi casa de donde salí»; al llegar la encuentra deshabitada, barrida y arreglada. 45Entonces va y toma consigo otros siete espíritus peores que él, y se instalan allí, con lo que la situación final de este hombre es peor que la del principio. Así le ocurrirá también a esta generación perversa.

La madre y los hermanos de Jesús 46*Aún estaba Jesús hablando a la gente, cuando llegaron su madre y sus hermanos. Se habían quedado afuera y trataban de hablar con él. 47Alguien le dijo:
—¡Oye! Ahí afuera están tu madre y tus hermanos que quieren hablar contigo.
48Respondió Jesús al que se lo decía:
—¿Quién es mi madre, y quiénes son mis hermanos? 49Y señalando con la mano a sus discípulos, dijo:
—Éstos son mi madre y mis hermanos. 50El que cumple la voluntad de mi Padre que está en los cielos, ése es mi hermano, mi hermana y mi madre".

CAPITULO 13

El sembrador 1Aquel día salió Jesús de casa y se sentó a orillas del lago. 2Se reunió en torno a él mucha gente, tanta que subió a una barca y se sentó, mientras la gente se quedaba de pie a la orilla. 3Y les habló de muchas cosas por medio de parábolas. Decía:

Libro

Capítulo

Versículo

Título de un pasaje
Algunas veces se incluyen títulos para mostrar el tema del capítulo, pero esos títulos no son parte de las palabras de la Biblia.

Pasaje
Un pasaje es una sección de un capítulo compuesta de un número de versículos. Este pasaje muestra a Mateo 12:46–50, lo que quiere decir: Evangelio de Mateo, capítulo 12, versículos del cuarenta y seis al cincuenta.

Número del capítulo

Cuando se te da un pasaje bíblico a leer hay cinco pasos simples que te ayudarán a encontrarlo. Sigue estos pasos para buscar el pasaje dado en el ejemplo:

Ejemplo: Lc 10:21–22

1 Encuentra el libro. Cuando el pasaje de la Escritura contiene una abreviatura, busca el nombre del libro cuya abreviatura se da. Esta información la puedes encontrar en el cuadro en las páginas donde comienza tu Biblia.

2 Encuentra la página. El índice de la Biblia indica la página donde se inician los libros. Pasa a la página dentro de la Biblia.

3 Encuentra el capítulo. Una vez estés en el inicio del libro pasa las páginas hasta encontrar el capítulo. En el cuadro arriba se muestra como los capítulos son numerados frecuentemente.

4 Encuentra el versículo. Una vez hayas encontrado el capítulo, busca el versículo o versículos que necesites dentro del capítulo. Arriba se muestra como los números de los versículos son mostrados comúnmente en una Biblia.

5 Empieza a leer.

Finding Your Way Through the Bible

The Bible is divided into books, which are divided into chapters, which are divided into verses. Below is a page of the Bible with these parts labeled.

Matthew, 12

Demand for a Sign 38*Then some of the scribes and Pharisees said to him, "Teacher, we wish to see a sign from you." 39*He said to them in reply, "An evil and unfaithful generations seeks a sign, but no sign will be given it except the sign of Jonah the prophet. 40*Just as Jonah was in the belly of the whale three days and three nights, so will the Son of Man be in the heart of the earth three days and three nights. 41*At the judgement, the men of Nineveh will arise with this generation and condemn it, because they repented at the preaching of Jonah; and there is something greater than Jonah here. 42sAt the judgment the queen of the south will arise with this generation and condemn it, because she came from the ends of the earth to hear the wisdom of Solomon; and there is something greater than Solomon here.

The Return of the Unclean Spirit 43t*When an unclean spirit goes out of a person it roams through arid regions searching for rest but finds none. 44Then it says, 'I will return to my home from which I came.' But upon returning, it finds it empty, swept clean, and put in order. 45Then it goes and brings back with itself seven other spirits more evil than itself, and they move in and dwell there; and the last condition of the person is worse that in the first. Thus it will be with this evil generation."

The True Family of Jesus 46u*While he was still speaking to the crowds, his mother and his brothers appeared outside, wishing to speak with him. [47*Someone told him, "Your mother and your brothers are standing outside, asking to speak with you."] 48But he said in reply to the one who told him, "Who is my mother? Who are my brothers?" 49And stretching out his hand toward his disciples, he said, "Here are my mother and my brothers. 50For whoever does the will of my heavenly Father is my brother, and sister, and mother."

CHAPTER 13

The Parable of the Sower 1r*On that day, Jesus went out of the house and sat down by the sea. 2Such large crowds gathered around him that he got into a boat and sat down, and the whole crowd stood along the shore. 3*And he

Book

Chapter

Verse

Passage title

Titles are sometimes added to show the themes of the chapters, but these titles are not part of the actual words of the Bible.

Passage

A passage is a section of a chapter made up of a number of verses.

This passage shows Matthew 12:46–50, which means: the Gospel of Matthew, chapter twelve, verses forty-six to fifty.

Chapter number

When you are given a Scripture passage to read, here are five easy steps that will help you to find it! Follow these steps to look up the passage given in the example below.

Example: Lk 10:21–22

1 Find the book. When the Scripture passage that you're looking up contains an abbreviation, find the name of the book for which this abbreviation stands. You can find this information on the contents pages at the beginning of your Bible.

2 Find the page. Your Bible's contents pages will also indicate the page on which the book begins. Turn to that page within your Bible.

3 Find the chapter. Once you arrive at the page where the book begins, keep turning the pages forward until you find the right chapter. The image above shows you how a chapter number is usually displayed on a typical Bible page.

4 Find the verses. Once you find the right chapter, locate the verse or verses you need within the chapter. The image above also shows you how verse numbers will look on a typical Bible page.

5 Start reading!

Examen de conciencia

Estamos obligados a confesar nuestros pecados por lo menos una vez al año. Todo el que desee recibir la Eucaristía debe estar en estado de gracia y debe celebrar el sacramento de la Reconciliación si ha cometido pecado mortal. Nos preparamos para celebrar el sacramento de la Reconciliación haciendo un examen de conciencia. Durante un examen de conciencia pedimos ayuda al Espíritu Santo para juzgar la dirección de nuestras vidas. Estas son algunas preguntas que puedes hacerte durante un examen de conciencia:

- ¿Doy más importancia a personas o cosas que a Dios? ¿Busco tiempo para leer la Escritura y escuchar la palabra de Dios ¿Rezo?
- ¿He tratado el nombre de Dios y el de Jesús con respeto?
- ¿He asistido a misa y mantengo santo el domingo con lo que digo y hago?
- ¿He respetado y obedecido a los que me cuidan, mis padres o tutores? ¿He sido amable y considerado con mis hermanos?
- ¿Soy una persona que respeta a todo tipo de vida? ¿Soy paciente con los ancianos, conciente del hambre y el desamparo y respeto a los que son diferentes a mí?
- ¿Trato mi cuerpo y el cuerpo de los demás con respeto? ¿Me he hecho daño o he animado a otros a hacerse daño con el uso impropio de cosas tales como drogas, alcohol y ciertas comidas?
- ¿He sido egoísta o he robado algo a alguien? ¿He compartido mis pertenencias?
- ¿Digo la verdad? ¿He sido justo y honesto con mis amigos, familiares, maestros y conmigo mismo?
- ¿He tratado de hacer la voluntad de Dios en mi relación con otros? ¿Soy feliz de que los demás tengan lo que necesitan?
- ¿He hecho de Dios mi tesoro en vez de cosas materiales?

La iglesia celebra el sacramento de la Reconciliación

Rito de la Reconciliación individual para penitentes

El sacerdote me saluda.

Hago la señal de la cruz.

El sacerdote me pide confiar en la misericordia de Dios. El sacerdote o yo podemos leer algo de la Biblia.

Converso con el sacerdote sobre mí.

Confieso mis pecados.

El sacerdote me habla sobre amar a Dios y a los demás.

El sacerdote me da una penitencia.

Hago un acto de contrición.

En nombre de Dios y a Iglesia, el sacerdote me da la absolución. (El extiende o pone sus manos sobre mi cabeza).

Juntos el sacerdote y yo damos gracias a Dios por su perdón.

Rito de la Reconciliación con varios penitentes con confesión y absolución individual

Cantamos un himno apropiado y el sacerdote nos saluda.

El sacerdote reza una oración inicial.

Escuchamos una lectura de la Biblia y una homilía.

Examinamos nuestra conciencia.

Rezamos un acto de contrición.

Podemos hacer una oración o cantar un himno y luego rezar el Padrenuestro.

Cada uno de nosotros se reúne individualmente o en privado con el sacerdote.

Confieso mis pecados. El sacerdote me da una penitencia.

En nombre de Dios y la Iglesia, el sacerdote me da la absolución. (El extiende o pone sus manos sobre mi cabeza).

Después que cada uno se ha reunido con el sacerdote, juntos concluimos la celebración. El sacerdote nos bendice y nos vamos en la paz y el gozo de Cristo.

An Examination of Conscience

We are obliged to confess our sins at least once a year. Anyone who desires to receive the Eucharist must be in state of grace and must receive the Sacrament of Penance if they have committed mortal sin. We prepare to celebrate the Sacrament of Penance by making an examination of conscience. During an examination of conscience, we ask the Holy Spirit to help us judge the direction of our lives. Here are some questions you can ask yourself:

- Do I make anyone or anything more important to me than God? Have I found time to read Scripture and listen to God's Word? Do I pray?
- Have I treated God's name and the name of Jesus with reverence?
- Do I participate in Mass and keep Sunday holy by what I say and do?
- Have I respected, obeyed, and cared for my parent(s) and guardian(s)? Have I been kind and considerate to my brothers and sisters?
- Am I a person who respects all life? Am I patient with the elderly, aware of the hungry and homeless, and respectful of those different from me?
- Do I treat my own body and the bodies of others respectfully? Have I harmed myself, or encouraged others to harm themselves, by improper use of things like drugs, alcohol, or food?
- Have I been selfish or stolen anything from anyone? Have I shared my belongings?
- Am I a truthful person? Have I been fair and honest with friends, family, teachers, and myself?
- Do I try to do God's will in my relationship with others? Have I been happy for others when they have things they want or need?
- Have I made God my treasure rather than material possessions?

The Church Celebrates the Sacrament of Penance

Rite for Reconciliation of Individual Penitents

The priest greets me.

I make the sign of the cross.

The priest asks me to trust in God's mercy.

He or I may read something from the Bible.

I talk with my priest about myself.

I confess my sins.

The priest talks to me about loving God and others.

He gives me a penance.

I make an Act of Contrition.

In the name of God and the Church, the priest gives me absolution. (He may extend or place his hands on my head.)

Together the priest and I give thanks to God for his forgiveness.

Rite for Reconciliation of Several Penitents with Individual Confession and Absolution

We sing an opening hymn and the priest greets us.

The priest prays an opening prayer.

We listen to a reading from the Bible and a homily.

We examine our conscience.

We make an Act of Contrition.

We may say a prayer or sing a song, and then pray the Our Father.

Each of us then meets individually or privately with the priest.

I confess my sins. The priest gives me a penance.

In the name of God and the Church, the priest gives me absolution. (He may extend or place his hands on my head.)

After everyone has met with the priest, we join together to conclude the celebration. The priest blesses us, and we go in the peace and joy of Christ.

Obras de misericordia

Las formas en que, como católicos, podemos vivir como discípulos de Jesús y miembros de la Iglesia incluyen las obras de misericordia. Las *obras corporales de misericordia* son actos de amor que nos ayudan a cuidar de las necesidades físicas y materiales de otros.

Dar de comer al que tiene hambre.
Dar de beber al sediento.
Vestir al desnudo.
Visitar a los prisioneros.
Albergar al desamparado.
Visitar al enfermo.
Enterrar a los muertos.

Las *obras espirituales de misericordia* son actos de amor que nos ayudan a cuidar de las necesidades del corazón, las mentes y las almas de los demás:
Amonestar al pecador. (Corregir al que lo necesite).
Instruir al ignorante. (Compartir el conocimiento con los demás).
Aconsejar al que duda. (Aconsejar al que lo necesite).
Consolar al que sufre. (Consolar al que lo necesite).
Ser paciente. (Tener paciencia con los demás).
Perdonar las ofensas. (Perdonar a los que nos ofenden).
Rezar por los vivos y los muertos.

Los temas de la doctrina social de la Iglesia

Vida y dignidad de la persona humana La vida humana es sagrada porque es un don de Dios. Todos somos hijos de Dios y compartimos la misma dignidad humana desde el momento de la concepción hasta la muerte natural. Nuestra dignidad —nuestro valor—viene de ser creados a imagen y semejanza de Dios. Esta dignidad nos hace iguales. Como cristianos, respetamos a todas las personas.

El llamado a la comunidad y la participación
Como cristianos estamos involucrados en la vida de nuestra familia y nuestra comunidad. Somos llamados a participar activamente en la vida social, política y económica, usando los valores de nuestra fe que modelan nuestras decisiones y acciones.

Derechos y responsabilidades de la persona humana Toda persona tiene el derecho fundamental a la vida. Esto incluye las cosas que necesitamos para vivir una vida decente: fe y familia, trabajo y educación, salud y vivienda. También tenemos una responsabilidad hacia los demás y la sociedad. Trabajamos para asegurarnos de que los derechos de todas las personas sean protegidos.

Opción por los pobres e indefensos Estamos obligados a ayudar a los más pobres y necesitados. Esto incluye aquellos que no se pueden proteger a sí mismos debido a su edad o salud. Alguna vez en la vida podemos ser pobres de alguna forma y estar en necesidad de ayuda.

Dignidad del trabajo y el derecho de los trabajadores Nuestro trabajo es un signo de nuestra participación en el trabajo de Dios. Las personas tienen el derecho a un trabajo decente, justa paga, condiciones de trabajo seguras y participar en las decisiones sobre su trabajo. Hay un valor en cada trabajo. Nuestro trabajo en la escuela y en la casa es una forma de participar en el trabajo de la creación de Dios. Es una forma de usar nuestros talentos y habilidades para dar gracias a Dios por ellos.

Solidaridad Solidaridad es un sentimiento de unidad. Este une a los miembros de un grupo. Cada uno de nosotros es miembro de la familia humana, iguales por nuestra dignidad humana común la familia humana incluye personas de todas las razas, culturas y religiones. Todos sufrimos cuando una parte del cuerpo de la familia sufre, no importa si vive cerca o lejos de nosotros.

Preocupación por la creación de Dios Dios nos creó para ser administradores, cuidar, de su creación. Debemos cuidar y respetar el medio ambiente. Debemos protegerlo para generaciones futuras. Cuando cuidamos de la creación estamos mostrando respeto a Dios, el creador.

The Works of Mercy

The ways that we, as Catholics, can live as disciples of Jesus and members of the Church include the Works of Mercy. The *Corporal Works of Mercy* are acts of love that help us to care for the physical and material needs of others:

Feed the hungry.
Give drink to the thirsty.
Clothe the naked.
Visit the imprisoned.
Shelter the homeless.
Visit the sick.
Bury the dead.

The *Spiritual Works of Mercy* are acts of love that help us to care for the needs of people's hearts, minds, and souls:
Admonish the sinner. (Give correction to those who need it.)
Instruct the ignorant. (Share our knowledge with others.)
Counsel the doubtful. (Give advice to those who need it.)
Comfort the sorrowful. (Comfort those who need it.)
Bear wrongs patiently. (Be patient with others.)
Forgive all injuries. (Forgive those who hurt us.)
Pray for the living and the dead.

The Themes of Catholic Social Teaching

Life and Dignity of the Human Person Human life is sacred because it is a gift from God. We are all God's children and share the same human dignity from the moment of conception to natural death. Our dignity—our worth and value—comes from being made in the image and likeness of God. This dignity makes us equal. As Christians we respect all people, even those we do not know.

Call to Family, Community, and Participation
As Christians we are involved in our family life and community. We are called to be active participants in social, economic, and political life, using the values of our faith to shape our decisions and actions.

Rights and Responsibilities of the Human Person
Every person has a fundamental right to life. This includes the things we need to have a decent life: faith and family, work and education, health care and housing. We also have a responsibility to others and to society. We work to make sure the rights of all people are being protected.

Option for the Poor and Vulnerable We have a special obligation to help those who are poor and in need. This includes those who cannot protect themselves because of their age or their health. At different times in our lives we are all poor in some way and in need of assistance.

Dignity of Work and the Rights of Workers
Our work is a sign of our participation in God's work. People have the right to decent work and just wages, safe working conditions, and to participate in decisions about their work. There is value in all work. Our work in school and at home is a way to participate in God's work of creation. It is a way to use our talents and abilities to thank God for his gifts.

Solidarity of the Human Family Solidarity is a feeling of unity. It binds members of a group together. Each of us is a member of the one human family, equal by our common human dignity. The human family includes people of all racial, cultural, and religious backgrounds. We all suffer when one part of the human family suffers, whether they live near us or far away from us.

Care for God's Creation God created us to be stewards, or caretakers, of his creation. We must care for and respect the environment. We have to protect it for future generations. When we care for creation, we show respect for God, the Creator.

Glosario

apóstoles doce hombres que compartieron la misión de Jesús en forma especial

ascensión regreso de Jesús en gloria con su Padre en el cielo

Bautismo sacramento en que se nos libra del pecado, nos hacemos hijos de Dios y somos bienvenidos en la Iglesia

carismas dones especiales dados por el Espíritu santo para construir la Iglesia y para el bien de todo el pueblo

crisma sagrado óleo perfumado bendecido por un obispo

discípulos personas que viajaban con Jesús, fueron testigos de sus milagros y lo escucharon predicar

dones del Espíritu Santo sabiduría, inteligencia, consejo, fortaleza, ciencia, piedad, y temor de Dios

Escritura registro escrito de la revelación de Dios y su relación con su pueblo

Espíritu Santo Dios, la tercera Persona de la Santísima Trinidad

estado de gracia no tener pecado mortal

evangelizar proclamar la buena nueva de Cristo a todo el mundo en toda circunstancia de la vida

frutos del espíritu Santo caridad, gozo, paz, paciencia, longanimidad, bondad, benignidad, mansedumbre, fidelidad, modestia, continencia y castidad

gracia santificante la gracia que recibimos en los sacramentos

gracias actuales estímulos del Espíritu Santo que nos ayudan a hacer el bien y a profundizar nuestra relación con Cristo

Iglesia comunidad de personas que creen en Jesucristo, han sido bautizadas en él y siguen sus enseñanzas

Mesías la persona que Dios planificó enviar para salvar al pueblo de sus pecados. *Mesías* es una palabra hebrea que significa "ungido"

obispo hombre que ha recibido la totalidad del sacramento del Orden y continúa la misión de liderazgo y servicio de los apóstoles

padrino (madrina) católico mayor de 16 años que ha recibido los sacramentos de iniciación cristiana, es un ejemplo de vida cristiana, es respetado por el candidato y está involucrado en la preparación para la confirmación de su ahijado/a y le ayuda a crecer en la fe

pasión sufrimiento y muerte de Jesús

pecado original primer pecado que debilitó la naturaleza humana y trajo ignorancia, sufrimiento y muerte al mundo; todos sufrimos los efectos del pecado original

Pentecostés el día en que el Espíritu Santo vino a los primeros discípulos de Jesús según Jesús lo había prometido. Pentecostés marca el inicio de la Iglesia.

reino de Dios el poder del amor de Dios activo en nuestras vidas y el mundo

resurrección el misterio de que Jesús resucitó a una nueva vida

sacramento signo efectivo dado por Jesucristo por medio del cual compartimos en la vida de Dios

sacramento de la Confirmación sacramento en el cual somos sellados con el don del Espíritu Santo

sacramentos de iniciación cristiana proceso por medio del cual nos hacemos miembros de la Iglesia por medio de los sacramentos del Bautismo, la Confirmación y la Eucaristía

sacramento de la Reconciliación sacramento por medio del cual nuestra relación con Dios y la Iglesia es restaurada y nuestros pecados perdonados

Santísima Trinidad tres divinas personas en un Dios. Dios el Padre, Dios el Hijo y Dios el Espíritu Santo

Tradición revelación de la buena nueva de Jesucristo como la vivió y vive la Iglesia

transfiguración evento en el que Jesús, fue visto hablando con Moisés y Elías en la montaña, fue transformado en apariencia a la vista de Pedro, Santiago y Juan

Triduo la celebración más importante de la Iglesia. Durante los tres días del Triduo, desde el Jueves Santos en la tarde hasta la tarde el Domingo de Pascua, recordamos el don de Jesús en la Eucaristía, su muerte y su resurrección

última cena la última comida que Jesús hizo con sus discípulos la noche antes de morir

vocación común nuestro llamado de Dios a la santidad y la evangelización

actual graces the urgings or promptings from the Holy Spirit that help us to do good and to deepen our relationship with Christ

Apostles twelve men who shared Jesus' mission in a special way

Ascension Jesus' return in all his glory to his Father in Heaven

Baptism the sacrament in which we are freed from sin, become children of God, and are welcomed into the Church

bishop a man who has received the fullness of the Sacrament of Holy Orders and continues the Apostles' mission of leadership and service

Blessed Trinity the Three Divine Persons in One God: God the Father, God the Son, and God the Holy Spirit

charisms special gifts bestowed by the Holy Spirit that are given for the building up of the Church and for the good of all people

Church the community of people who believe in Jesus Christ, have been baptized in him, and follow his teachings

common vocation our call from God to holiness and to evangelization

disciples men and women who traveled with Jesus, witnessed his healings and miracles, and heard his preaching

Easter Triduum the Church's greatest and most important celebration. During the three days of the Easter Triduum, from Holy Thursday evening until Easter Sunday night, we remember Jesus' gift of the Eucharist, his Death, and his Resurrection.

evangelize to proclaim the Good News of Christ to all people in every circumstance of life

fruits of the Holy Spirit charity, joy, peace, patience, kindness, goodness, generosity, gentleness, faithfulness, modesty, self-control, and chastity

gifts of the Holy Spirit wisdom, understanding, counsel, fortitude, knowledge, piety, and fear of the Lord

Holy Spirit God, the Third Person of the Blessed Trinity

Kingdom of God the power of God's love active in our lives and in our world

Last Supper the last meal which Jesus ate with his disciples on the night before he died

Messiah the person God planned to send to save the people from their sins. The word *Messiah* comes from a Hebrew word that means "Anointed One."

Original Sin the first sin that weakened human nature and brought ignorance, suffering, and death in to the world; we all suffer from its effects

Passion the suffering and Death of Jesus

Pentecost the day on which the Holy Spirit came to Jesus' first disciples as Jesus promised. Pentecost marks the beginning of the Church.

Resurrection the mystery of Jesus' rising from Death to new life

sacrament an effective sign given to us by Jesus Christ through which we share in God's life

Sacraments of Christian Initiation the process of becoming a member of the Church through the Sacraments of Baptism, Confirmation, and Eucharist

Sacrament of Confirmation the sacrament in which we are sealed with the Gift of the Holy Spirit

Sacrament of Penance the sacrament by which our relationship with God and the Church is strengthened or restored and our sins are forgiven

Sacred Chrism perfumed oil blessed by a bishop

sanctifying grace the grace that we receive in the sacraments

Scripture the written record of God's Revelation and his relationship with his people

sponsor a Catholic who is at least 16 years of age, has received the Sacraments of Christian Initiation, is an example of Christian living, is respected by the candidate, and is involved in the candidate's preparation for Confirmation and will help him/her to grow in faith

state of grace being without mortal sin

Tradition the Revelation of the Good News of Jesus Christ as lived out in the Church, past and present

Transfiguration the mysterious event in which Jesus, seen speaking with Moses and Elijah on the mountain, was transformed in appearance—in the sight of Peter, James, and John

Equipo de desarrollo de Sadlier

Rosemary K. Calicchio
Vice presidenta ejecutiva de publicaciones

Blake Bergen
Director de publicaciones

Joanne McDonald
Directora editorial, religión

Allison Johnston
Directora de análisis e investigación de mercado

Dulce Jiménez Abreu
Directora de productos bilingües

Peggy O'Neill
Editora

Kathy Hendricks
Escritora contribuyente

Carole Uettwiller
Vicepresidenta, manufactura

Vince Gallo
Director creativo

Francesca O'Malley
Directora arte/diseño

Lorraine Forte
Diseñadora

Debrah Kaiser
Especialista de diseño

Kevin Butler
Encargado de diseño

Jim Saylor
Director fotográfico

Bob Schatz
Encargado de imagen

Cheryl Golding
Directora de producción

Jovito Pagkalinawan
Director prensa electrónica

Monica Bernier
Encargada de producción

Vincent McDonough
Producción artística

Allison Stearns
Administradora contenido de producción

Robert T. Carson
Director diseño medios digitales

Photo Credits

Cover: Karen Callaway; oil paint stroke: Shutterstock.com/Katarzyna Krawiec. Interior: akg-images/British Library: 60. Alamy/Design Pics Inc./SW Productions: 29, 135 *bottom right*; Jeff Greenberg: 84; Zefa RF/Auslöser: 12. Art Resource, NY/Scala: 22, 23. The Bridgeman Art Library/Alek Rapoport: 11; Sophie Hacker: 10. Corbis/Blend Images/Hill Street Studios/Crystal Cartier: 117; JLP/Jose L. Pelaez: 39; PhotoAlto/Eric Audras: 95; plainpicture/T. Schöne: 139 *right*; Tetra Images: 94. The Crosiers/Gene Plaisted, OSC: 32, 86, 90, 108. Digital Vision: 132. Dreamstime/Danne79: 30, 46, 47, 50, 51; Dmccale: 13, 135 *c.b.*; Jhanganu: 87 *top*; Muladhara: 52, 70 *background*; Palangsi: 8, 26 *background*; Riderofthestorm: 96, 112, 113, 116, 117. Fotolia/Yuri Arcurs: 79, 134 *bottom*. Getty Images/Digital Vision: 138 *top*; Digital Vision/David Trood: 44-45/Digital Vision: 126; Photolibrary/ Fred Derwal: 20; photosindia: 151; Punchstock/Rubberball: 64; Stock Image/Peter Teller: 38; Stockbyte/Farinaz Taghavi: 134 *background*. The Image Works/Ellen Senisi: 67. Jane Bernard: 24 *center*. Jim Whitmer Photography: 81. Karen Callaway: 68, 77, 87, 106, 110, 111, 122, 123. Ken Karp: 44, 81. Masterfile: 78; Michael A. Keller: 85. Myrleen Pearson: 46, 82,135 *center*. Neal Farris: 28, 76, 126, 127. Photo Edit: 34. Photodisc: 130, 131. Punchstock/Comstock: 25 *center*, 35; Digital Vision: 72; Floresco Productions: 51; ThinkStock: 153. © Robert Silvers 2001/Photomosaics™ is the trademark of Runaway Technology, Inc www.photomosaics.com U.S. Patent No.6, 137, 498: 118. Shutterstock/Aqua: 90 *background*; dedaiva bg: 8, 24, 25, 28, 29; joingate: 118, 118, 134 *top*, 135 *top*, 138 *bottom*, 139 *left*; loriklazio: 42; Mikhail: 30, 48 *background*; Nodmitry: 74, 90, 91, 94, 95; Phoenix1983: 24 *background*; PHOTOCREO Michal Bednarek: 74, 92 *background*; Seamartini Graphics: 52, 68, 69; thinz: 102; Thomas Amby: 112; Toria: 118, 136 *background*; VikaSuh: 120 *background*; Yuri Arcurs: 79, 134 *bottom*. Steve Skjold: 66. Stock Food/Dick Frank Studios, Inc.: 97, 114 *background*. Superstock/Diana Ong: 128; Photononstop: 33. Veer/Alloy Photography: 65; Corbis: 88. W.P. Wittman Ltd: 16, 17, 41, 50, 61, 62, 80, 101, 116, 134 *center*, 148, 156.

Illustrator Credits

David Barnett: 55. Frank Ordaz: 14. Neil Slave: 36. Luigi Galante: 40, 54. Zina Saunders: 12, 13, 20, 21, 38, 39, 42, 43, 56, 57, 64, 65, 78, 79, 82, 83, 100, 101, 104, 105, 126, 127